INFLUENCERS

GENERACIÓN DE TRANSFORMADORES

Cómo sembrar el Reino de Dios en el corazón de niños y adolescentes para que impacten las siete esferas de influencia de una sociedad

4-14 años la edad más fructífera para formar a un discípulo

Editorial JUCUM forma parte de Juventud con una Misión una organización de carácter internacional.

Si desea un catálogo digital de nuestros libros solicítelos a:

Editorial JUCUM
P.O. Box 1138, Tyler, TX 75710-1138 U.S.A
Correo electrónico: info@editorialjucum.com
Teléfono: (903) 882-4725
www.editorialjucum.com

Influencers, Generación de transformadores, Currículo 8-11

Primera edición 2021
ISBN 978-1-64836-070-1
Diseño de carátula: Pam Viana B.

A menos que se especifique otra cosa, las citas bíblicas pertenecen a la Santa Biblia Reina-Valera 1960 © Sociedades Bíblicas en América Latina, 1960. Renovado © Sociedades Bíblicas Unidas, 1988. Utilizado con permiso. Dios Habla Hoy (DHH), Dios habla hoy © Sociedades Bíblicas Unidas, 1966, 1970, 1979, 1983, 1996. La Biblia de las Américas (LBLA), Copyright © 1986, 1995, 1997 by The Lockman Foundation.

Impreso en Colombia por Editorial Nomos S.A.

INTRODUCCIÓN:

El enfoque principal de este currículo es inspirar, motivar y contribuir a que todos nosotros, el cuerpo de Cristo que formamos su Iglesia, tomemos conciencia de la importancia de levantar a la generación 4/14 (los niños y adolescentes entre los 4-14 años) para transformar el mundo.

Cuando trabajamos con niños, estamos discipulando una nación.

Deut. 6:7 «y las repetirás a tus hijos, y hablarás de ellas estando en tu casa, y andando por el camino, y al acostarte, y cuando te levantes».

«Instruye al niño en su carrera y aun cuando fuere viejo no se apartará».

AGRADECIMIENTOS:

Agradecemos a Juventud con una Misión, especialmente a Wedge y Shirley Alman, fundadores del ministerio de JUCUM en América Latina y a Yarely Niño, fundadora de JUCUM Puerto Rico. A Dale Kauffman y al ministerio de King´s Kids internacional por motivarnos, inspirarnos, capacitarnos y empoderarnos para trabajar con la generación emergente. Y a Lyssette Ruiz, directora de King's Kids P.R.

Y a todos los maestros, hombres y mujeres de Dios, por la inversión tan valiosa de su enseñanza y sus libros que han sido inspiración para conocer y vivir los principios del Reino de Dios aquí en la tierra. A Landa Cope, José y Diana González, Dra. Elizabeth Youmans, Darrow Miller, los Fabianos, Dean Harvey, Ron Boehme, Stephen McDowell, Dean Sherman, Dr. Alan Snyder, Dennis Carrol, Michael Wolfe, Dave Coke y Yarley Niño.

Un agradecimiento especial a quienes dedicaron muchas horas para escribir este currículo y a los que formaron parte del personal de JUCUM-PR, durante los años 1989-2012. Gracias por ofrendar su conocimiento, talentos, destrezas, creatividad para hacer posible la creación y redacción de cada clase, drama, canción, dinámica y proyecto educativo, presentados como parte de este currículo.

RECONOCIMIENTOS:

Gracias al Dr. Luis Bush y al Prof. José González por invitarnos a unirnos al movimiento internacional de la ventana 4/14 y por motivarnos a escribir un currículo lo que Dios nos había estado enseñando por 25 años en el discipulado de los niños, adolescentes y jóvenes.

DEDICACIÓN:

A todos los niños, adolescentes y jóvenes que formaron parte del ministerio de King's Kids Puerto Rico y al elenco nacional entre los años 1989 al 2012. Y a sus padres, por habernos confiado a sus hijos.

ÍNDICE

¿Por qué este currículo?

Para responder a la necesidad de contar con una herramienta que facilite el discipulado de nuestros niños desde *el teísmo bíblico,* y les ayude a entender cómo vivir los principios del Reino de Dios aquí en la tierra. Creemos que a través de sus dones y talentos, dados por Dios, ellos pueden contribuir a la transformación de la sociedad. Con este currículo queremos ayudarles a descubrir aquellas áreas de influencia a la cual Dios les está llamando a servir.

¿Cómo usar este currículo?

Hemos diseñado las lecciones, empleando el método reflexivo de enseñanza y aprendizaje.

El formato de las lecciones está basado según lo enseñado y sugerido por la Dra. Elizabeth Youmans, y el método de «Educación por principios» (*Principle Approach*), desarrollado por la Dra. Rosalie Slater:

- ► Objetivo de la lección: aprendizaje y entendimiento; palabra clave de vocabulario, el principio bíblico a enseñarse y la cita bíblica.
- ► Principio bíblico: establece la verdad como fundamento y la estructura para enseñar la lección.
- ► Escritura bíblica: que apoya el principio bíblico a enseñarse.
- ► Actividad: drama, música, etc.
- ► Hoja de registro: anotar, registrar lo aprendido en la clase para recordarlo y aplicarlo a sus vidas.
- ► Proyectos: demostrar en forma creativa lo aprendido en el salón de clase, para que pueda asimilar integralmente la enseñanza.

Cada clase cuenta con una palabra clave que debe ser explicada durante la enseñanza. Los niños y adolescentes aprenderán cómo Dios se revela en cada esfera de la sociedad. Las esferas cuentan con un color en particular. Por ejemplo, el color anaranjado pertenece a la familia; sugerimos que todo lo referente a la esfera de la familia lleve el color anaranjado. Así los niños y adolescentes podrán resaltar los versículos claves en sus Biblias, con el color correspondiente cuando hacen referencia a cada esfera.

La mayoría de los videos han sido obtenidos de «YouTube» y se pueden acceder a ellos por Internet.

Es importante que cada drama, video y ejemplos cotidianos sean modificados de acuerdo al contexto de la nación donde se vaya a enseñar.

Ventana 4/14: 1.2+ billones de niños y adolescentes entre 4-14 años:

La ventana 4/14 es un movimiento mundial que se organizó en el 2008, bajo la inspiración del Dr. Luis Bush (quien también introdujo el término de la ventana 10/40). Se refiere al grupo demográfico más grande de «personas no-evangelizadas» —a nivel mundial— entre las edades de los 4 a los 14 años, cuando están más receptivos al desarrollo y formación espiritual.

El movimiento de la ventana 4/14 existe porque:

1. Los niños son el «grupo de personas no evangelizado» más grande del mundo y además el más receptivo a los asuntos espirituales y de desarrollo.

2. La Iglesia no entiende la importancia que Dios da a los niños.

3. Los niños que viven especialmente en pobreza, no tienen voz propia.

4. Los niños y los jóvenes son el potencial sin explotar más significativo; sin embargo, especialmente entre la edad de 11 y 18 años son la fuerza misionera más importante.

5. Es frecuente que los niños y los jóvenes son marginados cuando responden a la Gran Comisión.

6. La Iglesia debe aprender de la historia: cuando perdemos a los niños, al final perdemos la Iglesia, por lo tanto, estamos invirtiendo en el futuro de ella.

VISIÓN:

- La primera montaña o etapa (2009-2014) fue crear conciencia sobre el mayor grupo de personas no alcanzadas: los niños. Entonces Dios puso en nuestros corazones comenzar a escalar la segunda montaña o etapa. Debíamos ir más allá de la creación de conciencia y comenzar la tarea de equipar a las iglesias locales para arraigar (alentar, equipar, apoyar) a los niños y jóvenes en la palabra de Dios y Su misión (*Missio-Dei)* y hacerlos libres, como socios en las misiones, para hacer discípulos en su generación de manera integral.

MISIÓN:

- El movimiento ventana 4/14 busca involucrarse y asociarse con los niños y jóvenes para hacer discípulos de sus compañeros, hermanos y comunidades.

- Busca fortalecer a las iglesias y las familias para alcanzar, rescatar, enraizar, liberar a niños y jóvenes para que desarrollen todo su potencial e impacten y transformen a su sociedad.

VALORES FUNDAMENTALES:

1. Mente del Reino de Dios (un voluntariado, caracterizado por el servicio, el rigor y recursos (Filipenses 2).
2. Modelar e inspirar la unidad (Juan 17).
3. Modelo a seguir para niños y jóvenes (1 Tesalonicenses 1).
4. Valentía para afrontar riesgos (basada en la confianza y las promesas divinas - Josué 14).
5. Pasión por niños y jóvenes (Mateo 18 y 19).

El Rey y su Reino I

El Rey y su Reino I
(Clase niños 8-11 años)

TIEMPO: 1 hora 30 min.

OBJETIVOS:

- Escuchar la historia del Reino de Dios.
- Conocer el carácter y la personalidad de Dios.
- Entender que Dios se relaciona en amor.
- Entender que Dios quiere que imitemos su carácter.

VOCABULARIO:

- Dios:

El Ser Supremo; Jehová; el eterno e infinito espíritu; el creador y el soberano del universo. (Diccionario Webster, 1828).

Ser supremo que en las religiones monoteístas es considerado hacedor del universo. (Diccionario de La Real Academia Española, vigésima segunda edición).

- Rey:

Un soberano; un príncipe; un gobernante. (Diccionario Webster, 1828).

Monarca o príncipe soberano de un reino. (Diccionario de La Real Academia Española, vigésima segunda edición).

- Persona:

Ente con facultad de raciocinio, dotado de conciencia y que cuenta con su propia identidad. Ser capacitado para vivir en sociedad, poseedor de sensibilidad, inteligencia y voluntad. (http://definicion.de/persona/)

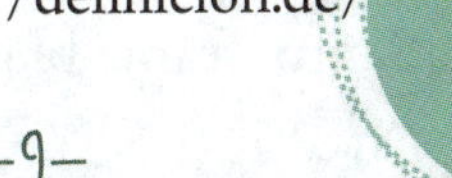

IDEA PRINCIPAL:

▶ El buen Rey Dios tiene un carácter de amor.

ESCRITURA BÍBLICA:

▶ Éxodo 34:6: «Entonces pasó el SEÑOR por delante de él y proclamó: El SEÑOR, el SEÑOR, Dios compasivo y clemente, lento para la ira y abundante en misericordia y verdad…».

Contenido de la lección

ACTIVIDAD DE INICIO:

Opción A: Comenzar con la representación del drama de 20 minutos: «La historia de nuestro Reino». (Ver Anexo 15.a).

Opción B: La clase comienza con el DVD del drama «La historia de nuestro reino».

DESARROLLO:

Usted necesitará:

- Rótulo de la palabra del vocabulario: «REY» (lámina 1.1).
- Mural de las palabras de vocabulario (ver anexo 15.a).
- Una corona (puede ser hecha de cartulina o papel de construcción).
- Una capa (puede ser hecha con una sábana o pedazo de tela).
- Un cetro (puede ser hecho con un palo de escoba y en el extremo superior poner una corona pequeña de papel de construcción).
- Silueta de una persona con una corona en la cabeza (puede ser hecha con papel estraza).
- Figura del cerebro (lámina 1.2).
- Dos cartulinas.
- Figura del corazón (lámina 1.3).
- Figura de las manos (lámina 1.4).
- Rótulo del carácter de Dios (lámina 15.1).
- Rótulo de las siguientes cualidades, en un papel con los colores correspondientes: (para ser pegadas en los lados del diamante, como si las palabras formaran cada línea del diamante).
    - ▶ Amor: franja roja (lámina 1.8).
    - ▶ Sabio: franja amarilla (lámina 1.9).
    - ▶ Justo: franja verde (lámina 1.10).
    - ▶ Misericordioso: franja rosada (lámina 1.11).
    - ▶ Verdadero: franja morada (violeta) (lámina 1.12).
    - ▶ Fiel: franja azul (lámina 1.13).
    - ▶ Santo: franja blanca (lámina 1.14).

- Silueta de un diamante (lámina 15.13).
- Dibujo de una silla (lámina 15.14).
- Silueta de un diamante para colocar las cualidades del carácter de Dios (Lámina 1.15).
- Una papa para jugar «papa caliente» (podría ser cualquier otro objeto).
- Dibujo de una silla (mínimo de tamaño carta o legal) (Lámina 1.16).
- Pintura de dedos o barro (opcional).
- Toallas húmedas o envase con agua limpia (para lavarle las manos a los niños en caso de que hagan la dinámica de pintarse los dedos).
- Papel blanco tamaño carta (opcional, si hacen la dinámica de ensuciarse los dedos para la clase de santidad).
- Biblia

«Según el drama que acabamos de ver, todos tenemos una historia que se refiere a un reino. En el principio, un rey muy bueno llamado Dios creó el universo, incluido el planeta Tierra, nuestra casa. ¿Saben qué es un rey? (Muestre la palabra clave y pídale a un niño que la pegue en "El muro de las palabras". [Ver lámina 1.1])».

«Cuando pensamos en un rey, pensamos en una persona con corona, capa y cetro. (Pida un voluntario para que los niños le coloquen cada uno de los objetos mencionados». Defina cada palabra utilizando al voluntario como modelo)». Ahora, piensen que un rey es una persona muy importante porque tiene autoridad para gobernar su país y sus habitantes. Un rey debe cuidar la gente de su país y defenderlos del enemigo». (Ahora puede decirle al voluntario que tome asiento).

«Como aprendimos en la historia, un Rey bueno creó todas las cosas que existen. ¡Este Rey es Dios! ¿Alguna vez has pensado en cómo es este Rey Dios? ¿Será como un fantasma? ¿Será como un extraterrestre?

«Dios, el Rey de este reino en que vivimos, no es ni un fantasma ni un extraterrestre. Él es una persona. ¿Entiendes qué es una persona humana? ¿En qué se diferencia una persona de un fantasma?». (Tenga lista la silueta de una persona pegada en la pared y haga referencia a ella. A medida que discute las cualidades de la personalidad de Dios, pegue la lámina correspondiente en esta silueta).

«¿Cómo sabemos que Dios es una persona? Porque piensa, tiene sentimientos (tristeza, alegría, compasión) y tiene voluntad para decidir lo que quiere».

1. **Intelecto** (pegue la lámina del cerebro en la cabeza de la silueta [ver lámina 1.2]). Pida 10 voluntarios y divídalos en 2 grupos para el juego de la suma y la resta. Para este juego necesitará dos cartulinas, y cinco ecuaciones simples de suma y resta para cada grupo. Cada grupo formará una fila, permitiendo que cada niño resuelva las sumas y las restas. El grupo que termine primero será el ganador).

Maestro: «En el juego que acabamos de hacer ustedes tuvieron que utilizar su mente para resolver las ecuciones matemáticas. Si ustedes no tuvieran intelecto o mente, no hubieran podido hacer los ejercicios». (Permitir que los niños hablen y discutan). «El intelecto es la habilidad de pensar, razonar, imaginar y recordar. Dios tiene intelecto. Él piensa, imagina, recuerda y razona. Para hacer la Creación, Él tuvo que pensar en lo que quería hacer y cómo lo iba a hacer. Y tú, ¿puedes pensar? ¡Claro que sí! Gracias a que Dios nos dio intelecto podemos pensar, razonar, imaginar y recordar. Por ejemplo, ¿quiénes recuerdan lo que desayunaron esta mañana? (Permitir que los niños piensen y respondan). Puedes recordar lo que haces porque Dios te hizo a su imagen y semejanza. Él tiene intelecto y te hizo a ti igual para que los dos pudieran pensar lo mismo».

2. **Emociones** (Pegue la lámina del corazón en el pecho de la silueta [ver lámina 1.3]). ¿Cuántos de ustedes han llorado alguna vez? ¿Cuántos han estado alegres? ¿Cuántos de ustedes se han enojado alguna vez? Estas son sus emociones. Gracias a ellas podemos alegrarnos, entristecernos, conmovernos, etc.

«Como Dios es una persona, Él también tiene emociones. Él se alegra cuando sus hijos le obedecen, pero se entristece cuando le desobedecemos. Dice la Biblia en Génesis 6 que cuando Dios vio la maldad que el hombre estaba haciendo, le dolió su corazón. Se puso triste. ¿Sabes que tus decisiones pueden alegrar o entristecer a Dios? Tú también tienes emociones porque Dios te hizo a su imagen y semejanza; te hizo parecido a Él».

3. **Voluntad** (Pegue la lámina de las manos en el área de las manos de la silueta [ver lámina 1.7]. Escoja de antemano dos frutas diferentes. Puede ser una manzana y una pera, o las que tengas disponibles. Además, escoja dos papeles de construcción de diferentes colores. Pregunte a los niños ¿cuál de las frutas escogerían? y ¿cuál color prefieren?). Dígales a los niños que, al escoger, ellos tomaron una decisión. Dígale que escogieron entre dos frutas y dos colores, que ellos preferían.

Maestro: «Cuando tus papás dicen que no puedes ver televisión y ellos salen de casa, tú puedes obedecer a tus padres o desobedecerles. ¿Qué harías tú? *(Permitir que los niños discutan y respondan).* Puedes tomar una decisión porque tienes «voluntad» para obedecer o desobedecer. La «voluntad» es la capacidad de escoger entre hacer el bien o hacer el mal.

«Dios tiene voluntad. Él también puede escoger hacer el bien o el mal, **pero siempre** escoge hacer el bien porque nos ama. Así como Dios decide escoger siempre el bien, tú puedes hacer lo mismo porque Dios te creó con voluntad. Estas tres cualidades de nuestro Rey (intelecto, emociones, y voluntad) nos demuestran que Dios es una "persona", y que nosotros nos parecemos a Él porque también poseemos estas tres cualidades. Cuando vimos el drama, ¿Cómo nos dijeron los ángeles que era nuestro Rey?». (Permitir que los niños piensen y respondan)

«Dios ha decidido tener un carácter de amor. O sea, ha decidido que el amor sea la cualidad que lo distinga». (Cada cualidad se colocará en un papel de color específico [ver láminas 15.1-1.12]. Estas cualidades se pegarán en la figura de un diamante[ver lámina 1.15] del tamaño de una cartulina grande que debe estar colocado al lado de la silueta).

• **Dios es amor:** esta es la cualidad fundamental del carácter de Dios. Él nos ama a todos porque decide buscar lo mejor para los demás. ¿Puedes tú decidir lo mismo? ¿Cómo amas a la gente que conoces? ¿Los amas pensando en ellos primero, antes que a ti mismo? Así como Dios decidió con su propia voluntad basar su carácter en el amor, tú también puedes decidir lo mismo. Todas las demás cualidades que veremos de Dios surgen de su amor.

• **Dios es Sabio:** Dios aplica todo lo que conoce con amor. Tú también puedes ser sabio. Cuando vas a la escuela, no lo haces para ser inteligente sino para aprender a usar lo que aprendes para ayudar a otros con amor. Por ejemplo, en la escuela tú aprendes a sumar y restar. Pero cuando ves un niño que no sabe sumar, tú puedes ayudarlo. Así estás siendo sabio, imitando a Dios.

- **Dios es Justo:** Dios trata a cada persona como se merece, sin juzgarlos mal. (Jugar el juego del «enano, gigante». Cuando el maestro dice la palabra «enano», los niños tienen que agacharse como si fueran enanos; y cuando dice la palabra «gigante», los niños deben ponerse de pie como si fueran «gigantes». El que haga lo contrario será el perdedor. Explique claramente el juego a los estudiantes. Dígales que los que pierdan se sentarán y no podrán volver a jugar. Una vez termine de jugar, pregúnteles si sería justo que enviara a sentar a los que siguieron las instrucciones del juego. Permita que ellos respondan y luego explíqueles que sería injusto sacar a los niños que cumplieron las reglas del juego. Permita que ellos hablen y respondan por qué. Hacer esto sería dar a cada persona lo que NO se merece. La Biblia dice que al que es bueno, Dios le muestra su bondad; pero al malo y tramposo le da su merecido (Proverbios 12:2).

- **Cuando Dios hace justicia nos está mostrando su amor.** Tú también puedes ser justo y mostrar amor. Por ejemplo, si ves que un compañero se está burlando de otro niño o niña, tú le dirás a la maestra para que ella haga justicia. También, si acusan falsamente a un compañero y tú sabes que esta acusación no es verdadera, tú lo dirás a la maestra para que no castigue al inocente.

- **Dios es misericordioso:** Dios perdona a las personas que se arrepienten. Dios no les da el castigo que se merecen. Esto es ser misericordioso. Así se refleja el amor de Dios. Tú también puedes ser misericordioso. ¿Cómo? Perdonando a los que te hacen mal, sin guardar enojo en tu corazón. ¿Has tenido la mala experiencia de que un compañero te empuje o hable mal de ti? Esto te hace sentir muy mal. Pero tú podrás ser misericordioso al perdonarlo.

- **Dios es verdadero:** (La maestra mostrará el dibujo de una silla [ver lámina 15.1] y pregunta): «¿Qué es esto?» (Dejar que los niños piensen y respondan). ¿Quién quiere sentarse en esta silla?» (Dejar que un voluntario trate de sentarse en el dibujo de la silla).

Maestro: «No te puedes sentar porque esto no es una silla verdadera. Esto es el dibujo de una silla. La verdad no miente. Dios es la verdad; Él no miente. Tú puedes decir la verdad como Dios. Así estarás también reflejando el amor de Dios. Cuando somos verdaderos, no ocultamos nada porque somos trasparentes». (Muestre un vaso transparente con agua limpia y explique que así somos cuando decimos la verdad. Las demás personas pueden ver que no escondemos nada y por eso somos trasparentes).

- **Dios es fiel:** Dios siempre es como Él dice ser. Si hace una promesa la cumple. Él dice en su palabra que aunque tu papá y tu mamá te dejaran, Él siempre tomará cuidado de ti (Salmo 27:10). Si Él dice esto, así será. Puedes estar seguro de que Él tomará cuidado de ti porque Él es fiel. «¿Puedes tú también ser fiel?». (Permitir que los niños discutan y respondan.) «¿Cómo puedes ser fiel? Por ejemplo, cuando le dices a un amigo que lo vas a ayudar en una tarea, debes cumplir lo que le dijiste para guardar tu promesa. Así eres fiel. De esta manera estarás amando como Dios ama». (El maestro puede utilizar el ejemplo del matrimonio para hablar de la fidelidad. Dígales que cuando el hombre y la mujer prometen ser fieles en las buenas y las malas, en riqueza y pobreza, en salud y enfermedad, ellos hacen esta promesa y la cumplen delante de Dios. Eso es fidelidad).

- **Dios es santo:** Él ha decidido separarse de todo lo malo para hacer el bien, y sólo el bien. Él no hace nada malo porque nos ama. ¿Sabías que tú también puedes ser santo como Él es santo? Por ejemplo, si tú sabes que mentir no es amoroso, tú no lo harás. O si sabes que robar no es bueno, tú no lo harás. Cada vez que eres sabio, misericordioso, justo, verdadero y fiel, tú estás siendo «santo»; porque estás actuando por amor. Debemos estar seguros de que sí se puede «vivir en santidad». Para eso necesitamos la ayuda de Dios.

CIERRE:

Aplicación/Resumen

«Así como Dios ha decidido ser amoroso, sabio, misericordioso, verdadero, fiel, justo y santo, nosotros también podemos decidir parecernos a Él. Dios quiere que tú decidas ser como Él es. Él es un Rey bueno y santo porque siempre obra con amor. ¿Puedes tú decidir tener un carácter de amor, así como el de Dios?». (Dirija a los niños en una oración pidiéndole a Dios que les ayude a ser como Él es, imitando su carácter de amor. Ore también para que los niños decidan ser santos).

HOJA DE REGISTRO:

Usted necesitará:

- Hoja de trabajo de El Rey y su Reino I (ver anexo 15.b).
- Crayolas.
- Lápices.

En la hoja de trabajo de El Rey y su Reino I, pida a los niños que dibujen una corona al rey, y que identifiquen las áreas de la personalidad y el carácter de Dios en las zonas indicadas. Una vez terminen, todos guardarán sus trabajos en una carpeta o sobre.

El Rey y su Reino II

El Rey y su Reino II
(Clase niños 8-11 años)

TIEMPO: 1 hora y 30 minutos.

OBJETIVOS:

- Repasar la historia del Reino.
- Conocer los Diez mandamientos.
- Entender que la obediencia a Dios es importante para traer su Reino.
- Darse cuenta de que como niños tienen un lugar importante en la historia del Reino de Dios.

VOCABULARIO:

- Reino de Dios:

En las Escrituras, es el gobierno o dominio universal de Dios. (Diccionario Webster, 1828).
Nuevo estado de cosas en que rige la salvación y la voluntad de Dios. Fue anunciado por los profetas de Israel, predicado e instaurado por Jesucristo. Su realización, incompleta y temporal en la iglesia militante, se consuma y perpetúa en la iglesia triunfante. (Diccionario de la Real Academia Española, vigésima segunda edición).

- Obedecer:

Cumplir la voluntad de quien manda. (Diccionario de la Real Academia Española, vigésima segunda edición).
Cumplir con los mandamientos, órdenes o instrucciones de un superior, o con los requerimientos de la ley, la moral, políticos o municipales; hacer lo que es mandado o abstenerse de hacer lo que es prohibido. (Diccionario Webster, 1828).

- Mandamiento:

Mandato; una orden o precepto dado por la autoridad. (Diccionario Webster, 1828).

- ▶ Dios quiere traer su Reino a la tierra.
- ▶ La obediencia es necesaria para traer el Reino de Dios a la tierra.

ESCRITURA BÍBLICA:

- ▶ Mateo 6:10: «Venga tu reino. Hágase tu voluntad en la tierra, así como se hace en el cielo».

Contenido de la lección

ACTIVIDAD DE INICIO:

Juego «El rey dice». (Diga a los niños que todos vamos a jugar el juego «El rey dice». Explíqueles que este juego es parecido a «Simón dice», donde pierde el que haga aquello que el rey ordene sin comenzar diciendo estas tres palabras, «El rey dice»).

Usted como maestro será el rey, quien dará las instrucciones. Recuerde comenzar siempre la instrucción diciendo las tres palabras: «El rey dice». Pero de vez en cuando, diga la instrucción sin decir «El rey dice». Entonces algunos niños harán lo que el rey NO dijo. Observe quiénes se equivocan y mande sentar a los niños que obedezcan la instrucción que el rey NO dijo.

Realice este juego hasta que quede un ganador. Recuerde no excederse más de 5 minutos en el juego. El maestro dice al terminar el juego: En este juego ustedes hicieron lo que el rey les decía. Para obedecerlo, ustedes tenían que decidir hacerlo. El ganador era el que obedecía sólo aquello dicho por el rey. Así mismo, toda la Creación tiene un Rey. ¿Recuerdan quién es? (Permitir que los niños piensen y respondan). ¿Cómo es ese Rey? ¿Es un fantasma? (Permitir que los niños piensen y respondan. Enfatice esto diciendo que el Rey Dios es una persona). ¿Cómo es el carácter de este Rey bueno? (Repase las cualidades del carácter de Dios. Enfatice que su carácter se basa en el amor, y que por esto podemos decir que Él es bueno).

Nosotros debemos obedecer primeramente al buen Rey Dios, así como lo hicimos en este juego. Más adelante veremos por qué es tan importante obedecerle a Dios.

DESARROLLO:

Usted necesitará:

Silueta de una persona con una corona (esta puede ser hecha con papel estraza; es la misma utilizada para la clase del Rey y su Reino I

- Lámina de la Creación (lámina 2.1).
- Rótulo de la palabra de vocabulario REINO DE DIOS (lámina 2.2).
- Lámina de las tablas de los 10 mandamientos (lámina 2.3).
- 10 franjas con los 10 mandamientos escritos (lámina 2.4).

- ► No tendrás otro rey aparte del buen Rey Dios.
  - ► No te harás otros reyes ni los adorarás.
  - ► No uses el nombre del buen Rey Dios para hacer chistes, ni decir mentiras.
  - ► Después de trabajar arduamente, descansa un día.
  - ► Respeta, obedece y ama a tus padres.
  - ► No matarás.
  - ► Amarás y respetarás a tu esposo o esposa.
  - ► No tomarás cosas que no te pertenecen.
  - ► No dirás mentiras.
  - ► No estarás deseando las cosas de tus compañeros.
- Lámina de los desobedientes (lámina 2.5).
- Lámina de la cruz (lámina 2.6).
- Lámina de nuestra misión (lámina 2.7).
- Una caja decorada llamativamente.
- Cinta adhesiva de papel.

En esta clase aprenderemos cinco cosas muy importantes:

1. (A) Nuestro buen Dios creó todo lo que existe: animales, planetas, plantas, los seres humanos, etc.; (B). Él nos dio unos mandamientos buenos para enseñarnos a vivir; (C). Hay personas que han decidido ser desobedientes; (D). El Señor Jesús vino a salvarnos; (E). Tenemos una misión dentro del Reino de Dios. (Al discutir cada parte, los niños pegarán la imagen que corresponde en la pared).

2. Dios creó todo lo que tus ojos pueden ver. Creó las aves, los animales marinos, los animales que se mueven en la tierra, las estrellas, etc. Dios también creó a los seres humanos como tú y yo. (Pegar la lámina de la Creación [ver lámina 2.1]).

3. Cada uno de ustedes está llamado a traer el Reino de Dios a donde esté. ¿Sabes qué es el Reino de Dios? El Reino de Dios es el lugar donde se hace la voluntad de Dios. (Repita esta definición y pegue la palabra REINO DE DIOS en «El muro de las palabras» [ver lámina 16.2] y lea con los niños Mateo 6:10).

El Reino de Dios está donde las personas como tú y yo le obedecemos. Tú puedes traer el Reino de Dios cuando haces su voluntad, es decir, lo que Él desea. Pero, ¿cómo sabes cuál es su voluntad? ¿Cómo puedes saberlo? Muy bien: Dios quiere que obedezcamos los 10 mandamientos. (Pegar lámina de las tablas de los 10 mandamientos [ver lámina 2.3]).

Los 10 mandamientos nos enseñan cómo debemos vivir y amar al rey Dios y a las demás personas. El buen Rey que es grande en amor, hizo leyes buenas y justas para que nosotros las cumplamos y vivamos felices».

«Veamos cuáles son esos mandamientos que tú y yo debemos obedecer». (Colocar cada mandamiento en un sobre aparte [ver lámina 2.4 para los mandamientos]. Pídale a un voluntario que escoja un sobre, lea el mandamiento y lo coloque en el número correspondiente en la lámina de las tablas de los mandamientos [ver lámina 2.3]. Los demás niños le pueden ayudar a recordar el número de cada mandamiento).

1. No tendrás otro rey aparte del buen Rey Dios.

2. No te harás otros reyes ni los adorarás.

3. No usarás el nombre del buen Rey Dios para hacer chistes, ni decir mentiras.

4. Después de trabajar arduamente, descansa un día.

5. Respeta, obedece y ama a tus padres.

6. No matarás.

7. Amarás y respetarás a tu esposo o esposa.

8. No tomarás las cosas que no te pertenecen.

9. No dirás mentiras.

10. No estarás deseando las cosas de tus compañeros.

Maestro: «El propósito de estos mandamientos es protegernos y traer orden. Nos enseñan a convivir unos con otros. Sólo cuando obedecemos estos mandamientos y hacemos lo que Dios dice, traemos su Reino a la Tierra».

4. Pero como el buen rey Dios nos hizo libres, nosotros podemos decidir obedecerle o no obedecerle. Muchos le dieron la espalda a Dios y desobedecieron sus leyes. (Pegar lámina de personas dándole la espalda a Dios o a los mandamientos [ver lámina 2.5]).

«¿Qué cosas malas hicieron esas personas contra Dios? ¿Recuerdan qué vimos en el drama? Estas personas han traído ideas incorrectas acerca del Rey. Muchos sirven al dinero como si fuera el rey, otros sirven a los animales, otros sirven al ser humano, etc. Nosotros mismos podemos ser como esas personas que se rebelan contra Dios si le desobedecemos, trayendo así mucho dolor a su corazón».

5. Pero no todo está perdido. Dios preparó un plan para salvarnos… enviar al Señor JESUS a la tierra. (Pegar lámina de la cruz [ver lámina 2.6]). ¿Qué hizo El Señor Jesús por nosotros? (Permita que los niños piensen y respondan). El Señor Jesús murió en la cruz por ti y por mí para librarnos del pecado. En su muerte en la cruz, y luego su vida, nos dio otra oportunidad de estar con Él y entrar en su Reino. Pero para esto tenemos que arrepentirnos de nuestro pecado de desobediencia. Si tú has desobedecido al buen Rey Dios, puedes pedirle a Jesús que te perdone y así volver a ser parte de los que traen el Reino de Dios al mundo en que vivimos. (Dígale a los niños que ahora van a conocer al Señor Jesús, y que preparen sus corazones para escucharle. Pregunte a los niños si alguno de ellos reconoce que necesita recibir a Jesús en su corazón y arrepentirse de lo que ha hecho mal, de sus pecados. Luego de orar por aquellos que respondan al llamado, continúe con la clase).

«Gracias a que el Señor Jesús murió y resucitó para salvar a los que se arrepienten de su desobediencia, en cada rincón de la tierra existen personas como ustedes que quieren cumplir la misión del Rey. ¿Cuál es esa misión? (Pegar lámina de nuestra misión [ver lámina 2.7]). La misión es: Conocer a Dios para darlo a conocer a otros, haciéndolo Rey en todo lo que hagamos, y enseñándole a otros a obedecerle». (El maestro puede reforzar el aprendizaje tocándose la frente al decir «conocer a Dios». Cuando diga «haciéndolo Rey», el maestro simula estar colocándose una corona en su cabeza, y cuando diga «en todo lo que hagamos» debe mover sus manos señalando todas las cosas a su alrededor. Recuerde a los niños que cuando dicen: «En todo lo que hagamos», esto incluye limpiar nuestros cuartos, jugar, estudiar, comer, ayudar a los demás, orar, etc.).

La historia no se ha acabado porque tú la continuarás: «Tú tienes un lugar muy importante en la historia de Dios. Aunque eres niño, tú puedes traer el Reino de Dios si le obedeces, haciendo las cosas como Él dice que las hagamos».

CIERRE:

Aplicación/Resumen

(Repasar la clase con los niños utilizando las imágenes de la historia de nuestro Reino. Enfatice al final que esta historia no se ha terminado, pues ellos la continuarán si hacen a Dios Rey en todo: recogiendo sus objetos, obedeciendo a mamá y papá, ayudando a otros, etc.).

HOJA DE REGISTRO:

Usted necesitará:

- 7 papeles de varios colores o papel de construcción para formar un libro para cada estudiante (cada papel será, de la mitad de un papel tamaño carta).
- Grapadora.
- Láminas de la historia de nuestro Reino (estas son las mismas que las láminas utilizadas en la clase I y II del Rey y Su Reino, pero a pequeña escala. El libro será confeccionado de tal manera que las imágenes queden horizontalmente). (Ver anexo 16.b):
- Tema impreso: «La historia de nuestro Reino».
- Silueta de una persona con una corona, un cerebro, un corazón y unas manos; más el diamante del carácter de Dios.
- Lámina de la Creación (lámina 2.1).
- Lámina de las tablas con los 10 mandamientos (lámina 15.34).
- Lámina de los desobedientes (lámina 2.5).
- Lámina de la cruz (lámina 2.6).
- Lámina de nuestra mission (lámina 2.7).
- Pegamento blanco.
- Sobre o carpeta (para que los niños guarden sus trabajos).

Libro La historia de nuestro Reino

Tenga preparados de antemano los libros para cada niño. El tamaño de cada libro debe ser la mitad de un papel tamaño carta. Utilice papel de construcción o de colores para confeccionar el libro que constará de siete páginas. (Ver anexo 16.b, para detalles del orden de las páginas). Los niños pegarán las láminas en el orden de la historia del Reino. Pida a cada niño que escriba en cada página una descripción de lo que significa la imagen. Esta descripción debe estar de acuerdo con lo aprendido en la clase.

Colorearán el libro en sus grupos pequeños, ese mismo día, en caso de no tener tiempo durante la clase. Al terminar, guarden el trabajo en el cofre del tesoro de cada estudiante.

Tiempo a solas con Dios

Lección 3

Tiempo a solas con Dios
(Clases niños 8-11 años)

TIEMPO: 1 hora y 30 minutos.

OBJETIVOS:

- ► Conocer los pasos para tener un tiempo a solas con Dios.
- ► Poner en práctica los pasos para un tiempo a solas con Dios.
- ► Animarlos a desarrollar una amistad diaria con Dios.

VOCABULARIO:

- ► Devocional:

Perteneciente a la devoción, usado en devoción… (Diccionario Webster, 1828).

- ► Devoción:

El estado de estar dedicado, consagrado o solemnemente separado para un propósito particular. (Diccionario Webster, 1828).

- ► Amistad:

Afecto personal, puro y desinteresado, compartido con otra persona, que nace y se fortalece con el trato. (Diccionario de la Real Academia Española, vigésima segunda edición).

IDEA PRINCIPAL:

- ► Puedes conocer a Dios en medida que pases tiempo con Él.

ESCRITURA BÍBLICA:

> Juan 17:3 «Y la vida eterna consiste en que te conozcan a ti, el único Dios verdadero, y a Jesucristo, a quien tú enviaste»

Contenido de la lección

ACTIVIDAD DE INICIO:

Pida a los niños que elijan al compañero que menos conozcan del salón. Asegúrese que los niños queden en parejas o en grupos de tres. Pídales que respondan las siguientes preguntas: ¿Cómo te llamas? ¿Cuántos años tienes? ¿Cuál es tu comida favorita? ¿Cuál es tu pasatiempo favorito? ¿Dónde vives? (Luego, pídales a una o dos parejas de voluntarios que compartan lo que aprendieron de sus compañeros. Permita que los niños piensen y hablen).

Maestro: «¿Sabías la respuesta antes de preguntarle a tu compañero? ¿Conoces ahora un poco más a tu compañero? ¿Por qué?». (Permita que los niños piensen y respondan). «Para conocer a un amigo debemos pasar tiempo juntos». (Pídales a los niños que se dividan en grupos pequeños en caso de tener líderes para cada grupo. De no ser así, puede dejarlos sentados en un círculo grande).

DESARROLLO:

Usted necesitará:

- Un peluche (puede ser pequeño o grande. El maestro lo mostrará a la clase).
- Una flor (puede ser de verdad u ornamental, de plástico. El maestro la mostrará a la clase).
- Rótulo de la palabra de vocabulario «DEVOCIONAL» (lámina 3.1).
- Lámina de la frase «Pasos para un tiempo a solas con Dios» (lámina15.2).
- Lámina con la frase «Corazón limpio» (lámina 17.3).
- Lámina con la frase «Alabanza y adoración» (lámina 3.3).
- Lámina con la frase «Callar las voces» (lámina 15.4).
- Lámina con la frase «Leer y meditar en la Palabra de Dios» (lámina 15.5).
- Lámina con la frase «Orar por otros / Interceder» (lámina 15.6).
- Lámina con la frase «Dar gracias» (lámina 15.7).
- Pintura para dedos lavable.
- Papel blanco (por lo menos uno, ideal uno para cada niño).
- Un crayón o lápiz (por lo menos uno, ideal uno para cada niño).
- Toallas húmedas o cubo con agua y toalla (para lavar y secar las manos de los niños que participen en la dinámica de la pintura para dedos lavables.
- Canción de alabanza con movimientos físicos previamente pensados para enseñar la canción a los niños. Recomendamos: Canción: «Cada mañana» interpretada por: Mrs. Vani. La puede adquirir en iTunes).
- Objetos de metal como cucharones y ollas (si se hace la opción No.1 para actividad de «Callar las voces»).

- Cartulinas con el versículo de 2 Timoteo 3:16-17 en versión Lenguaje Actual: «Todo lo que está escrito en la Biblia es el mensaje de Dios, y es útil para enseñar a la gente, para ayudarla y corregirla, y para mostrarle cómo debe vivir» (ver anexo 17a).
- Casa hecha de cartón con una ventana para que se vea la persona que está pidiendo ayuda (ver anexo 17b).
- Gasolina.
- Fósforos.
- Manguera conectada a toma de agua o varios baldes con agua (serán utilizados por la persona que haga de bombero para apagar el fuego).
- Ropa que parezca de bombero (para drama).
- Noticia en el periódico de su país (que sea corta y muestre una necesidad por la cual los niños puedan orar).

«En Génesis 1:27 podemos ver que Dios, nuestro Creador, nos hizo a su imagen y semejanza. ¿Qué quiere decir esto? Que somos parecidos a Él en algunas cosas. Por ejemplo, tenemos intelecto, tenemos emociones y tenemos voluntad; ¡al igual que Él! Dios nos hizo a su imagen y semejanza para que podamos relacionarnos con Él y ser sus amigos». (Hacer referencia a la clase del carácter y personalidad de Dios).

(El maestro mostrará un peluche). «¿Me puedo yo relacionar con este peluche? ¿Puedo ser amigo de este peluche? ¿Él me va a responder, a escuchar? ¡No! Porque no fuimos creados con el mismo diseño. Nosotros estamos hechos a la imagen y semejanza de Dios; por eso nos podemos relacionar con Él».

(El maestro mostrará una flor). «¿Podremos tener una amistad con esta flor?». (Permitir que los niños piensen y respondan). Por más tiempo que pasemos con la flor no podremos tener amistad con la flor porque no está hecha a imagen y semejanza nuestra. Pero sí podemos ser amigos de Dios, porque Él nos creó parecidos a Él para poder llegar a ser verdaderos amigos.

«Dios quiere que le conozcamos y seamos sus amigos. Para poder hacer esto debemos pasar tiempo con Él. A este tiempo le llamamos tiempo a solas o devocional. El devocional es un tiempo que separamos con el propósito de conocer a Dios». (Repita la definición y pegue el rótulo de la palabra de vocabulario «DEVOCIONAL» en «El muro de las palabras» [ver lámina 3.1]).

«Hay 6 pasos que nos ayudarán a tener un buen tiempo a solas con Dios». (A medida que discuta cada uno de los 6 pasos, saque un tiempo para ponerlo en práctica en grupos pequeños con la ayuda de sus líderes. En caso de no tener un líder por grupo pequeño, hágalo usted mismo con todo el grupo. De antemano separe un lugar en la pared para colocar los 6 pasos del tiempo a solas con Dios).

- **Corazón limpio:** (Pegue en la pared el primer paso «Corazón limpio» [ver lámina 15.3]).

Actividad:

Pedir un voluntario para que se ensucie las manos con barro. Mientras el niño hace esto diga: «Cuando nosotros hacemos cosas que a Dios no le agradan (mentir, pelear, robar, desobedecer), estamos pecando. Eso ensucia nuestros corazones, así como este niño tiene las manos sucias». (Luego dígale a un voluntario que le haga una carta a Dios, sin ensuciar el papel. Cuando el niño termine diga): «Así como no se puede escribir la carta sin ensuciar el papel, tampoco nosotros podemos hablar con Dios si no nos arrepentimos. La Biblia dice en Mateo 5:8 que sólo el limpio de corazón verá a Dios».

Limpie las manos de los niños y diga: «Nosotros podemos ser limpios del pecado. ¿Cómo? Arrepintiéndonos. Esto significa pedir perdón a Dios y decidir NO volverlo a hacer. No es solamente sentirnos mal por lo que hicimos, sino decidir que no lo vamos a hacer nunca más». (En grupos pequeños tome un tiempo para auto examinarse con los niños y pedirle al Espíritu Santo que les muestre si han hecho algo que ha traído tristeza al corazón de Dios. Dirija a los niños en una oración de arrepentimiento por los pecados que han cometido).

- **Alabanza y adoración:** (Pegue en la pared el paso «Alabanza y Adoración» [ver lámina 3.3]). Adoración es reconocer a Dios por ser quien es. Para adorar a Dios debemos decirle que lo admiramos, que lo amamos y que estamos muy agradecidos con Él).

Maestro: «Nosotros podemos demostrarle nuestro amor a Dios de diferentes formas, no sólo cantando sino dibujando, escribiéndole una carta o diciéndole palabras que le agraden». (Escuche con los niños una canción de alabanza que sea dinámica. Enséñeles algunos movimientos con la letra de la canción para que ellos puedan adorar a Dios de esta manera. La canción y los movimientos que se les enseñarán a los niños deben estar preparados con anticipación.

Recomendamos la canción «Cada mañana» interpretada por Mrs. Vani. La pueden adquirir en iTunes.

Otra opción es dar a los niños una hoja de papel en blanco dónde puedan crear un dibujo que muestre la manera como adoran a Dios.

- **Callar las voces:** (Pegue en la pared el paso «Callar las voces» [ver lámina 15.4]).

Actividad:

Escoja tres voluntarios. Dos se colocarán en los extremos del salón y uno de ellos en un punto equidistante. El maestro le pedirá a uno de ellos que le pase un mensaje gritando a su compañero. Debe explicarles que tendrán mucha dificultad para entender porque todos van a gritar y habrá música muy alta mientras se pasan el mensaje. Para pasar el mensaje tienen que tratar de gritar sin moverse.

Cuando termine la actividad diga: Para poder escuchar a una persona claramente se necesita silencio. Igual sucede cuando hablamos con Dios. Para poder escucharlo necesitamos silenciar cualquier otra voz que pueda distraernos.

Maestro: «Cada uno de nosotros podemos escuchar tres voces: la de Dios, la de nosotros mismos y la de Satanás. Pero si solamente queremos escuchar a Dios, callaremos nuestra propia voz y la de Satanás en el nombre de Jesús. Podemos callar estas voces porque Dios nos ha dado el poder y la autoridad para hacerlo en el nombre del Señor Jesús». (Dirija a los niños en una oración para silenciar sus propias ideas y pensamientos, y también la voz de Satanás. Permita que los niños repitan la oración después de usted. Observación: Para acallar la voz de Satanás no hay que pelear con los demonios porque los niños son muy sensibles a los temas de monstruos. No se debe sobre enfatizar el asunto de Satanás. Dígales que tenemos poder en el nombre de Jesús).

- **Leer y meditar la Palabra de Dios:** (Pegue en la pared el paso «Leer y meditar la palabra de

Dios»[vea lámina 15.5]). ¿Qué mejor forma para conocer a Dios que a través de la Biblia, que es su Palabra escrita? El salmo 119:97 dice: «¡Cuánto amo tu enseñanza! ¡Todo el día medito en ella!» Debemos meditar en la Palabra que Él nos dejó.

Actividad:

Decir a los niños que van a aprender un versículo de la Biblia. Al decir esto muestre su Biblia. Diga que usted ha colocado el versículo en unas cartulinas que ha escondido por todo el salón (ver anexo 17.a). Pida a los niños que las busquen hasta encontrarlas, y que las coloquen luego en orden de acuerdo al número que tienen las frases en la parte de atrás. (Recuerde que debe esconder las frases que componen el versículo antes de la clase).

Utilice este versículo: «Todo lo que está escrito en la Biblia es el mensaje de Dios, y es útil para enseñar a la gente, para ayudarla y corregirla, y para mostrarle cómo debe vivir». 2 Timoteo 3:16-17 (Traducción en Lenguaje Actual).

Lea el versículo con los niños y explíqueles que la palabra de Dios es la que nos enseña a vivir y nos corrige para ser más como Dios.

• **Orar /Interceder:** (Pegue en la pared el paso «Orar / Interceder» [ver lámina 15.6]).
La oración es una declaración de humildad, dependencia y ayuda, que produce intimidad, santidad, unidad y dirección. La oración nos permite conocer a Dios y lo que Él quiere de nosotros. La oración es una forma de estar más cerca de Él.

«Existen varios tipos de oración». (Puede pedir varios voluntarios para que busquen en sus Biblias los versículos correspondientes y los lean a la clase):

• **De confesión:** Salmos 51:4 Cuando haces una oración de confesión es un momento de quebrantarte delante de Dios pidiéndole perdón por tus pecados. Esta oración es la que se hace en el paso de corazón limpio cuando haces tu devocional.

• **De adoración:** Salmos 95:6 Cuando haces una oración de adoración te centras en la persona de Dios, en sus características eternas, en su amor, su santidad, su poderío, su belleza, etc. Es un momento para exaltarlo a Él. Esta oración es la que haces en el segundo paso de este tiempo devocional o tiempo a solas con Dios.

• **De petición:** Salmos 88:13 Cuando haces una oración de petición le expresas a Dios tus necesidades para que el Señor sea propicio y en su voluntad provea para esa necesidad particular. No solo pides por necesidades materiales (juguetes, dinero, etc.), sino también por necesidades espirituales (paciencia, paz, habilidades mentales, etc.) Esta es la oración que puedes hacer en este momento de tu tiempo a solas con Dios.

• **De intercesión:** Filipenses 1:9 Cuando haces una oración de intercesión levantas una súplica a Dios, en favor de otros. En este momento de tu tiempo a solas con Dios puedes orar por personas que conoces que tienen necesidades o no conocen al Señor. También puedes orar por las naciones.
Puedes pedirle a Dios que te hable y te diga por qué y cómo orar por otros. Esta oración también es la que puedes hacer en este momento de tu tiempo a solas con Dios.

• **De acción de gracias:** 1 Crónicas 29:13 Cuando haces una oración de acción de gracias le muestras a Dios agradecimiento por las cosas que te ha dado o por el bien que ha hecho en tu vida. Con esta clase de oración cerramos el tiempo a solas con el Señor. Este será el último paso de tu tiempo a solas con Dios.

Maaestro: «Existen varios tipos de oración y en tu tiempo a solas con Dios tomarás un espacio para cada una de ellas. Por eso, luego de que meditas en la Palabra de Dios llega el momento en el que puedes orar por esas personas que conoces que tienen necesidades o no conocen al Señor. Puedes orar por las naciones y por algunas necesidades que tú mismo tengas (que Dios te ayude a ser un hijo obediente, entre otras)». Puedes pedirle a Dios que te hable y te diga por qué cosas orar.

Busque una noticia en el periódico que sea breve y que muestre una necesidad. Diga a los niños: «Hoy vamos a orar usando el periódico. Quiero contarles una noticia que habla sobre algunas necesidades de nuestro país (también puede ser del mundo). Se la voy a contar, y luego vamos a orar para que Dios nos ayude en esta situación». (Comente la noticia a los niños en sus propias palabras y oren juntos. Puede animar a los niños a repetir después de usted o a decir algo de sus propios corazones. Si fuese posible, puede entregar una copia de la noticia a cada grupo pequeño).

- **Dar gracias:** (Pegue en la pared el paso 6, «Dar gracias». [ver lámina 15.7]). Debemos estar siempre agradecidos por todo lo que Dios ha hecho y sigue haciendo por nosotros. Nunca debemos cesar de dar gracias. Como hemos llegado al final de nuestro tiempo con Dios, agradezcámosle a Él por este tiempo tan maravilloso y porque sabemos que Él va a contestar nuestras oraciones.

(Dar gracias a Dios en grupos pequeños o todos juntos. Es importante que un líder dirija la oración para enseñar a los niños cómo hacerla).

CIERRE:

Aplicación/Resumen

«Conocemos mejor a una persona cuando pasamos tiempo con ella. Conoceremos más a profundidad a Dios, mientras más tiempo pasemos con Él. Vamos a repasar los 6 pasos del tiempo a solas con Dios que hemos aprendido el día de hoy: limpiar nuestro corazón, adorar, callar las voces, leer y meditar en la Biblia, orar e interceder y dar gracias». (Permita que los niños los mencionen y los aprendan).

El maestro continúa: «¿Ustedes pasan tiempo con Dios cada día? ¿Pueden decir que lo conocen? ¿Qué tal si le prometemos a Dios que pasaremos tiempo con Él todos los días para conocerle mejor y así ser mejores amigos?». (Haga una oración que lleve a los niños a comprometerse con Dios, buscarle y conocerle).

HOJA DE TRABAJO:

Usted necesitará:
- Hoja de trabajo «Tiempo a solas con Dios» (anexo 17.c).

Los niños enumerarán los 6 pasos que los ayudarán a conocer a Dios en su tiempo a solas con Él. Luego firmarán su compromiso de trabajar para mejorar su relación con Dios (ver anexo 17c). Una vez terminen, guardarán su trabajo en un sobre o carpeta.

Intercesión

Lección 4

Intercesión

(Clases niños 8-11 años)

TIEMPO: 1 hora.

OBJETIVOS:

- Definir qué es la oración intercesora.
- Aprender los pasos para la intercesión.
- Animar los niños a trabajar en equipo con Dios a través de la intercesión.
- Practicar los pasos de la intercesión.

VOCABULARIO:

- Interceder:

Mediar; interponer; hacer intercesión; actuar entre las partes con vista a traer reconciliación entre aquellos que difieren o contienden. (Diccionario Webster, 1828).

Mediar por otro. (Diccionario de la lengua española © 2005 Espasa-Calpe).

Hablar en favor de alguien para conseguirle un bien o librarlo de un mal. (Diccionario de la Real Academia Española, vigésima segunda edición).

IDEA PRINCIPAL:

- Cuando intercedemos, estamos trabajando en equipo con Dios.

ESCRITURA BÍBLICA:

- Ezequiel 22:30-31:5. Ezequiel 22:30-31: «Yo he buscado entre esa gente a alguien quehaga algo en favor del país y que interceda ante mí para que Yo no los destruya, pero no lo he encontrado. Por eso he descargado mi castigo sobre ellos y los he destruido con el fuego de mi ira, para hacerlos responder por su conducta. Yo, El Señor, lo afirmo».

ACTIVIDAD DE INICIO:

- 4 sorbetos, pitillos o pajillas.
- 2 tarros transparentes del mismo tamaño (preferiblemente pequeños).
- 1 cubo con agua suficiente como para llenar los tarros.
- 2 toallas para secar.

Comience colocando en una mesa dos tarros transparentes y un cubo de agua en el medio. Pida cuatro voluntarios y coloque tres en un equipo para llenar de agua un tarro, y una sola persona frente al otro tarro. Los tres primeros trabajarán en equipo, mientras el otro trabajará solo. Explique a los niños que el tarro que se llene primero será el ganador. Los niños deben llenar su tarro utilizando sorbetos (pajillas o pitillos) para transportar el agua del cubo al tarro.

Maestro (al terminar la actividad pregunte): «¿Cuál de los dos tarros se llenó primero y por qué?». (Permita que los niños piensen y respondan). «Se llenó más rápido el tarro de los que trabajaron en equipo. De la misma manera, Dios quiere trabajar con nosotros en equipo. Él ha decidido que tú y yo trabajemos con Él, para que Él pueda hacer grandes milagros en todo el mundo».

DESARROLLO:

Usted necesitará:
- Rótulo de la palabra de vocabulario «INTERCESIÓN» (lámina 4.1).
- Cinta adhesiva.
- Láminas con los pasos de intercesión:
  - ▶ Corazón limpio (lámina 3.2).
  - ▶ Adoración (lámina 4.3).
  - ▶ Callar las voces (lámina 4.4).
  - ▶ Guía del Espíritu Santo (lámina 4.5).
  - ▶ Gracias en fe (lámina 4.6).
  - ▶ Esperar en silencio (lámina 4.7).
  - ▶ Orar (lámina 4.8).
  - ▶ Dar gracias (lámina 4.9).

«¡Qué oportunidad tan maravillosa es poder ser parte del equipo vencedor de Dios! ¿Saben cómo podemos comenzar a ser parte del equipo de Dios? A través de la intercesión. La intercesión es una clase de oración en la cual pedimos, con todas nuestras fuerzas, a favor de otros, para conseguirles un bien o librarlos un de un mal. Dios nos muestra las necesidades de otros para orar por ellas y así trabajar en equipo con Dios, para que Él actúe conforme a lo que estamos orando». (Mostrar la palabra «INTERCESIÓN» [ver lámina 4.1]. Pegar la palabra «INTERCESION» en «El muro de las palabras»).

Maestro: «Cuando intercedemos estamos conociendo el corazón de Dios y trabajando en equipo con Él para cambiar la historia. En la intercesión nos convertimos en co-creadores con Dios». (Pídales a los niños que le ayuden a crear un poema Syntu o Cinquain* [Ver nota al final de la clase para instrucciones detalladas]. Escoja un concepto sencillo que ellos ya hayan escuchado en clases anteriores, como por ejemplo «el amor de Dios». Pídales ideas a los niños de acuerdo a las instrucciones del poema que escojan. Una vez terminado el poema diga: Ustedes acaban de ser co-creadores de este poema. Este poema no se hubiera logrado sin la ayuda de ustedes. Ser co-creadores significa que nos asociamos o nos unimos para crear algo).

«Cuando intercedemos nos asociamos o unimos con Dios para cambiar la historia de las personas, naciones o situaciones. ¿Se acuerdan cuando hablamos de los 6 pasos para tener un tiempo a solas con Dios? En uno de los pasos hablamos un poco acerca de la oración por otros o la intercesión. ¿Se acuerdan de la actividad del bombero?». (Permitir que los niños piensen y respondan). «Cuando ustedes gritaron por la ayuda del bombero ustedes trabajaron en equipo. Así mismo, Dios desea que oremos y pidamos su ayuda para otros. Recuerden: la intercesión consiste en orar por otros y no por ti mismo».

«La intercesión cambia las cosas. Dios dice que está buscando personas que intercedan por otros para actuar a favor de ellos. Dios está buscando personas que quieran trabajar en equipo con Él para cambiar la historia». (Buscar Ezequiel 22:30 y leerlo con los niños. Si desean, pueden subrayarlo en sus Biblias).

Maestro: «En aquella época, el pueblo de Israel se había revelado contra de Dios y le estaba desobedeciendo y haciendo cosas muy malas como adorar dioses falsos. Algunas veces, para adorar a esos dioses mataban bebés. También eran malos con sus padres, desobedientes, asesinos, mentirosos, trataban mal a la gente pobre, a las mujeres, y eran infieles. Tanto mal hicieron que el Señor estaba muy enojado y llegó a la conclusión de que la única manera de que el pueblo dejara de hacer esas cosas era castigarlos con un castigo que les iba a traer muchísimo dolor. Pero a pesar de que esa gente se merecía el castigo, Dios estaba buscando una persona que clamara (intercediera) para perdonar ese pueblo malo. Pero, ¿saben lo que pasó? Dios no encontró a nadie que intercediera».

«Dios está todavía hoy en busca de personas que intercedan por otros y se paren en la brecha». (El maestro puede ilustrar la brecha con un dibujo de dos montes con un abismo que los separa y luego colocando un puente que une los montes.)

«¿Qué les parece si tú y yo nos convertimos en esas personas que Dios está buscando para ser parte de su equipo que intercede a favor de otras personas, países y naciones?». (Anime a los niños a ser parte de los intercesores que Dios está buscando).

«Vamos a aprender los pasos para la oración intercesora». (De antemano, esconda debajo de algunas sillas los pasos para la intercesión. [Ver láminas 4.1-4,9]. Diga a los niños que busquen «los pasos para la intercesión» que se encuentran pegados debajo de algunas sillas. Pida al niño que encontró el paso #1 que lo pegue en la pared y diga qué significa. Proceda así con los pasos siguientes. Es importante saber que los primeros tres pasos de la intercesión son similares a los del tiempo a solas con Dios. Usted puede practicarlos el próximo día en el tiempo separado para la intercesión).

1. Corazón limpio: (Ver lámina 4.2). El primer paso para interceder es tener un corazón limpio. ¿Recuerdan dónde más vimos la importancia de tener un corazón limpio? (Permitir que los niños piensen y respondan). Hablamos de esto en el tiempo a solas con Dios. Es importante que miremos nuestro interior y permitamos que Dios nos diga si hemos cometido algún pecado que ha traído tristeza a su corazón y así arrepentirnos.

2. Adoración: (Ver lámina 4.3). Una vez tengamos un corazón limpio podemos alabar y adorar a Dios por lo que ha hecho por nosotros y por ser quien es. Pregunte a los niños, ¿qué me pueden decir de cómo es Dios? (Animar a los niños a contestar de acuerdo a lo que han aprendido en las clases del Rey y su Reino. La maestra puede hacer referencia a las imágenes de las cualidades del carácter de Dios. También pueden leer el salmo 145 para identificar más cualidades de Dios).

¿Se acuerdan que este paso también está en el tiempo a solas con Dios? (Permitir que los niños piensen y respondan). Recuerden que podemos demostrarle a Dios que le amamos cantando, diciéndoselo con nuestras palabras, dibujando, etc.

3. Callar las voces: (Ver lámina 4.4). Al terminar de adorar a Dios podemos pasar al siguiente paso que es «callar las voces». ¿Se acuerdan que este paso también lo hacemos cuando vamos a tener un tiempo a solas con Dios? ¿Quién recuerda qué voces debemos callar? (Permitir que los niños piensen y respondan). Muy bien, debemos callar la voz del enemigo Satanás, y nuestra propia voz. Esto lo hacemos porque la única voz que deseamos escuchar es la voz de Dios. Recuerden que en la intercesión, Dios desea compartir su corazón con ustedes para decirles por quién orar, cómo orar, etc.

4. Guía del Espíritu Santo: (Ver lámina 4.5.). Divida a los niños en parejas o en grupos seleccionados. En cada pareja, uno de los niños tendrá los ojos vendados y el otro tendrá la responsabilidad de guiarlo sólo hablándole, sin tocarlo. Puede colocar obstáculos en el tramo que ellos deben recorrer de un extremo al otro del salón. Una vez lleguen al otro extremo del salón el maestro dirá: imagínate que con los ojos vendados tuvieras que caminar sin tropezar con ninguno de los obstáculos. Esto sería muy difícil. Tu compañero te ayudó guiándote porque él podía ver lo que tú no podías ver. Así mismo es en la intercesión. Tú no puedes ver todas las necesidades que ocurren alrededor del mundo, pero el Espíritu Santo sí puede. Para interceder orando por aquellas cosas que están en el corazón de Dios necesitamos que el Espíritu Santo nos guíe.

Maestro en este momento puede orar diciendo: «Espíritu Santo, dependemos de ti. Guíanos para orar por aquellas cosas que están en el corazón de Dios y enséñanos cómo podemos orar». (Puede decir a los niños que repitan esta oración).

5. Gracias en fe: (Ver lámina 4.6). Después de pedir la guía del Espíritu Santo, le damos gracias confiando en que Él nos va a mostrar aquellas cosas por las cuales debemos orar. *El maestro dice con los niños:* «Gracias Dios porque sabemos que nos vas a decir por qué cosas orar».

6. Esperar en silencio: (Ver lámina 4.7). Ahora llegó el momento más emocionante: Vamos a escuchar aquellas cosas por las que Dios quiere que oremos. Tal vez escuches la voz de Dios o tal vez recibas una imagen de alguien en tu mente. No te preocupes si al principio no recibes nada, poco a poco aprenderás a escuchar la voz de Dios. Como todos vamos a interceder en grupo, es importante que luego de haber esperado un tiempo razonable alguien del grupo sirva de secretario y anote todas las cosas que el Espíritu Santo les haya compartido.

7. Orar: (Ver lámina 4.8).

Drama del bombero:

Opción No. 1: Sacar a los niños fuera del salón. Afuera habrá una casa hecha de cartón, con una ventana grande para que se vea la persona que está adentro pidiendo ayuda. [Ver anexo 18.b]). La casa se estará quemando por una esquina. Decirles a los niños que hay una persona que necesita nuestra ayuda, y la única forma que podemos ayudarla es llamando a un bombero. En la habitación o salón que está cerca hay un bombero, pero sólo saldrá si lo llaman con intensidad. Se toca la puerta y se deja que los niños griten ///¡¡BOMBERO!!///. Finalmente, el bombero sale por la insistencia de los chicos y apaga el fuego. La persona que estaba en la casa sale, y agradece al bombero y a los niños por haberla ayudado.

Opción No. 2: Decirles a los estudiantes que hay un fuego en algún lugar de la finca y una persona necesita nuestra ayuda. La única forma en que podemos ayudarla es llamando a un bombero. Detrás de una puerta (depende del salón y el lugar) hay un bombero, pero sólo saldrá si lo llamamos con intensidad. Se toca la puerta y los estudiantes gritan ///¡¡BOMBERO!!///. Finalmente, el bombero sale por la insistencia de los chicos y apaga el fuego.

Maestro: «¿Por qué el bombero salió para apagar el fuego?». (Permita que los niños piensen y respondan). El bombero salió a apagar el fuego porque ustedes lo llamaron con mucha insistencia. Lo mismo pasa cuando intercedemos en oración. La intercesión es una oración de súplica que se hace a Dios, en favor de otros. Dios es como ese bombero que está dispuesto a responder, pero alguien debe interceder, esto es, llamarlo. Así como llamamos al bombero debemos orar a Dios por los demás. Cuando vemos que alguien está enfermo o no tiene qué comer o no conoce al Señor, debemos pedirle a Dios para que Él salga a su rescate. Pediremos con insistencia que si está enfermo lo sane, si está sin comer le provea alimento y si no conoce a Dios oramos para que Él lo salve y se dé a conocer como su amigo. La intercesión es una oración de súplica que se hace a Dios, en favor de otros».

Maestro: «Una vez que Dios nos diga por qué debemos orar lo compartimos en nuestro grupo y luego oramos por cada una de las cosas que Dios nos compartió. ¿Se acuerdan de la actividad del bombero? ¿Cómo tuvieron que llamarlo?». (Permitir que los niños piensen y respondan). «Tuvieron que llamarlo con todas sus fuerzas. Así mismo tenemos que orar con todas nuestras fuerzas si queremos ver a Dios moverse a favor de las personas o países por los que estamos orando».

Maestro: «Cuando oren deben hacerlo una persona a la vez y una petición a la vez. Luego que la persona termine, si Dios le muestra a otro niño cómo orar por la misma petición, lo puede hacer. Cuando Dios haya terminado de revelarles cómo orar, se prosigue con la próxima petición. (Ahora pueden hacer un drama donde un grupo de 2 o 3 personas llegan a orar cumpliendo cada paso de la intercesión. Cuando oran, todos oran por todo a la vez. Uno ora por los niños en África, otro ora por los misioneros en China, etc. La idea es que oren sin ánimo y en desorden, que no se entienda. Este drama no debe durar más de 3 minutos. Luego pueden hacer el drama con el ejemplo correcto de cómo se debe interceder.

8. Dar gracias: (Ver lámina 4.9). Al finalizar damos gracias a Dios por todo lo que Él ha hecho, con la seguridad de que Él contestará nuestras oraciones y por permitirnos ser un equipo con Él.

«Estos son los pasos que nos servirán de guía para el momento de intercesión donde estaremos trabando en equipo con Dios. Recuerda siempre que cuando intercedas debes tener una Biblia y una libreta donde anotar lo que Dios te diga».

Nota: El maestro puede utilizar este momento para enseñarle a los niños acerca de la oración de Daniel [ver anexo 18.a].

CIERRE:

Usted necesita:

A continuación, les compartimos las siguientes sugerencias prácticas para el momento de interceder:

- Hacer grupos de cinco personas.
- Tener un líder que dirija los pasos y un secretario que anote lo que Dios vaya compartiendo.
- Buscar un lugar cómodo que no haya ninguna distracción.
- Orar por temas específicos. Si Dios nos muestra orar por la nación de China, orar por cosas específicas como por libertad para la nación, por los niños huérfanos, etc.
- Hacer peticiones breves y concretas. Si hacemos oraciones muy largas los demás no tendrán oportunidad de orar.
- Empezar a orar de la petición más lejana a la más cercana. Si Dios trae orar por los ancianos de tu ciudad y por el gobernador de Yugoslavia, se debe orar primero por el gobernador de Yugoslavia y luego por los ancianos de tu ciudad.
- Tener una Biblia disponible en caso que el Señor nos dé una palabra.
- Tener una libreta para anotar todo lo que Dios ha hablado a nuestro corazón.

Maestro: «Al convertirnos en intercesores trabajamos en equipo con Dios. Hay muchas personas en necesidad esperando que elevemos una oración para que Él pueda ayudarles. La intercesión es un tiempo muy emocionante porque aprenderemos a escuchar a Dios y somos parte de lo que Él desea hacer en el mundo. Luego de la manualidad de hoy vamos a tomar un tiempo para practicar la oración intercesora en grupos pequeños».

HOJA DE REGISTRO:

Usted necesitará:

- ▸ Dibujo de un mundo con unas manos alrededor (anexo 18.b).
- ▸ Lápices de colores.

Cada niño tendrá el dibujo de un mundo y unas manos (ver anexo 18.a). Ahora se escribe cada paso de la intercesión en el dibujo de las manos. Después recórtalas y pégalas en orden de izquierda a derecha sosteniendo el mundo. Al terminar pueden colorear su dibujo. Cada uno escribirá los pasos para la intercesión en orden de izquierda a derecha en las manos. De tener tiempo, usted puede permitir que los niños coloreen su dibujo. Asegúrese de que cada dibujo tenga el nombre del niño. Una vez terminada la manualidad los niños guardarán el dibujo en su sobre o carpeta.

Nota: Instrucciones para crear un poema Syntu o Cinquain

Instrucciones poema Syntu:

(Obtenido de la presentación «El *assesment* como medio para la evaluación auténtica del aprendizaje», Prof. Julio E. Rodríguez Torres). (Buscar en Internet).

Los poemas Syntu son formas no convencionales de escribir poesía. Demandan poca estructura en el número de palabras o sílabas. Se recomienda el siguiente formato:

- Palabra, nombre del objeto, lugar, etc.

- Observación del objeto utilizando uno de los sentidos.

- Expresión de algún sentimiento o acción sensible a la palabra inicial.

- Observación del objeto utilizando cualquier sentido distinto al usado inicialmente.

- Palabra que sea sinónimo a la usada en el primer verso.

EJEMPLO:

Océano.

Inmenso, gigante, azul, verdoso.

Su sonido me transporta a la reflexión.

Ruidoso, suave, agitado.

Cuerpo de Agua.

Instrucciones poema Cinquain (Sankan)

(Obtenido de la presentación «El assesment como medio para la evaluación auténtica del aprendizaje», Prof. Julio E. Rodríguez Torres).

Este tipo de poema es informal. Está organizado en cinco líneas y su función principal es describir un objeto, un fenómeno, un lugar, etc. El formato establecido es:

Nombre o sustantivo (lo que se desea describir).

Adjetivos.

Verbos.

Cuatro palabras que expresen sensibilidad o conocimiento del término usado.

Nombre o sustantivo que sirva como sinónimo.

EJEMPLO:

Maestro.

Dedicado, amoroso, creativo.

Trabaja con ahínco, escribe, habla, enseña, comparte conocimiento.

Son modelos a seguir.

Educador.

Motivos del corazón

Motivos del corazón

(Clases niños 8-11 años)

TIEMPO: 1 hora y media.

OBJETIVOS:

- ► Reconocer qué es un motivo.
- ► Aprender que existen sólo dos motivos que dirigen nuestras acciones: el amor/Dios vs. el egoísmo/Yo.
- ► Ser conscientes de que la salvación radica en el motivo del corazón.
- ► Examinar la motivación del corazón.
- ► Escoger a Dios como la motivación que dirige sus vidas.

VOCABULARIO:

- ► Motivo:

Lo que incita a la acción; lo que determina la decisión o mueve la voluntad. (Diccionario Webster, 1828). Causa o razón que mueve hacia algo (Diccionario de la Real Academia Española, vigésima segunda edición).

- ► Corazón:

El asiento de la voluntad; por consiguiente, los propósitos, intenciones y designios secretos (Diccionario Webster, 1828).
Centro de algo. (Diccionario de la Real Academia Española, vigésima segunda edición).

- ► Amor:

Es la elección fundamental de buscar el bienestar máximo de Dios y del hombre. (El amor: la base de todo Por: J.W. Jepson). (Cada definición debe ser explicada con ejemplos).

IDEA PRINCIPAL:

▸ El amor debe ser el motivo de mi corazón.

ESCRITURA BÍBLICA:

▸ 1 Corintios 4:5: «Por lo tanto, no juzguen ustedes nada antes de tiempo; esperen a que El Señor venga y saque a la luz lo que ahora está en la oscuridad y dé a conocer las intenciones del corazón. Entonces Dios dará a cada uno la alabanza que merezca».

Contenido de la lección

ACTIVIDAD DE INICIO:

Usted necesita los siguientes materiales:

- Una cámara.
- Un micrófono (puede ser fabricado con cartulina y papel).
- Un cartel gigante de la altura de una puerta con el dibujo de un ser humano y una apertura en el medio (puede ser el de un niño o una niña).

(Antes de entrar los estudiantes al salón deben dramatizar un programa de televisión llamado «Descubriendo al ser humano». Se debe simular que el programa está siendo grabado y televisado. Para esto recomendamos contar con una cámara de video, un director de programa y un presentador con su micrófono. El presentador debe dirigir a los estudiantes a pasar por la puerta del salón, la cual estará cubierta con un cartel gigante con el dibujo de un ser humano [puede ser el dibujo de un niño o niña]. El cartel debe tener una apertura en el medio de tal forma que los niños puedan pasar a través de la figura).

Diálogo del presentador: «Bienvenidos todos. Están sintonizando su programa favorito descubriendo al ser humano. Hoy descubriremos una de las partes más importantes de todo hombre, de toda mujer, de todo niño y de toda niña sobre la faz de la tierra. En la actualidad mucha gente da más importancia a lo externo, a la manera cómo te vistes, como juegas, como danzas y qué quieres ser cuando seas grande. Pero para el Creador de todos los seres humanos, esto no es lo más importante. Lo más importante para Él está en el interior de cada uno de nosotros. Por esto hoy vamos a investigar el interior del ser humano. Vamos a descubrir cuál debe de ser la causa de todos sus pensamientos, sus emociones y sus acciones. Esta causa determinará su relación con el Ser más valioso del universo, Dios, y con las demás criaturas de este planeta. ¡Pasemos al mundo de nuestro interior!».

DESARROLLO

Usted necesitará:

- Rótulo de las palabras de vocabulario «MOTIVO» y «CORAZÓN» (lámina 15.8).
- Silla adornada como un trono.
- Camisa blanca o túnica blanca (para personaje que hará del Señor Jesús en un drama).
- Rótulo «DIOS» (lámina 5.3).
- Rótulo «YO» (lámina 5.4).
- Rótulo «AMOR» (lámina 5.5).
- Rótulo «EGOISMO» (lámina 5.6).
- Silueta grande de un corazón.
- 3 cajas grandes de cartón pintadas o forradas con papel, cada una de un color distinto. (Cada caja deberá llevar pegado de antemano uno de estos tres rótulos):
- Rótulo «VOLUNTAD» con el dibujo de unas manos (como el utilizado en la clase del Rey y su Reino); (ver lámina 15.9).
- Rótulo «INTELECTO» con el dibujo de un cerebro (como el utilizado en la clase del Rey y su Reino); (ver lámina 15.10.).
- Rótulo «EMOCIONES» con el dibujo de un corazón (como el utilizado en la clase del Rey y su Reino); (ver lámina 15.11).
- Papel traslúcido color rojo que se puede utilizar para cubrir una bombilla de tal forma que el salón quede ambientado con una luz tenue roja.

(De ser posible, coloque la luz tenue roja. En la parte delantera, en el piso, se ubicará la silueta grande de un corazón. Sobre esta silueta se acomodarán tres cajas forradas o pintadas, cada una con su rótulo respectivo [ver listado de materiales]. Encima de las cajas se colocará la silla decorada como un trono).

Maestro: «Hoy vamos a aprender sobre lo más importante del ser humano: Su corazón. De él salen todas sus decisiones. Aprenderemos acerca de los motivos del corazón». (Mostrar los rótulos de las palabras de vocabulario: MOTIVO y CORAZÓN [ver láminas 15.8] y pegar en «El muro de las palabras»).

«¿Has escuchado la palabra "motivos"?». (Permitir que los niños piensen y respondan). «Un motivo es una causa o una razón que te mueve o anima a hacer algo. Por ejemplo: Si yo tengo hambre, me como una fruta. ¿Por qué decidí comerme la fruta? ¿Qué me motivó?». (Permitir que los niños piensen y respondan). El hambre fue el motivo. (Repita la definición de motivo y pida a los niños que le digan). «Ahora veamos por qué hablamos del corazón. Cuando menciono el "corazón", NO me refiero al órgano que tienes en el pecho. La Biblia utiliza la palabra «corazón» para referirse a tu vida interior, a lo que es más importante para Dios. Son esas cualidades que te hacen "persona". ¿Recuerdas cuáles son las cualidades que Dios tiene y que son propias de una persona?». (Permitir que los niños piensen y respondan). «Esas cualidades que te hacen persona son: intelecto, voluntad y emociones». (Haga referencia al corazón y las cajas frente al salón sobre las que está colocado el trono).

En 1 Samuel 16:7 Dios dice: «No te fijes en su apariencia ni en su elevada estatura, pues yo lo he rechazado. No se trata de lo que el hombre ve; pues el hombre se fija en las apariencias, pero yo me fijo en el corazón. Lo más importante para Dios no es la marca de tu ropa o si eres flaco o alto. Estas cosas son externas. Para Dios lo más importante es tu corazón, o sea, tu interior. El corazón es el centro de quién eres, y está compuesto por tu voluntad, tus emociones y tu mente. ¿Qué más hay dentro de este corazón que tenemos al frente?». (Permita que los niños piensen y respondan). «Vemos un trono. ¿Quién se sienta en un trono?». (Permita que los niños piensen y respondan). «Se sienta un rey, que es una persona con poder y autoridad».

«Imagínate que este corazón (haga referencia al corazón que está en el piso) es tu corazón. En tu interior está lo más valioso que tienes. En el trono de tu vida se sienta quien te gobierna. El corazón te mueve (motiva) a hacer todo lo que haces. En ese trono estará sentado el motivo de tu corazón».

(Divida a los estudiantes en grupos pequeños y reparta los siguientes versículos: Mateo 7:13-14; Mateo 7:15-20; Mateo 7:24-27. Si son más de tres grupos se pueden repetir los versículos. Pídales que lean y señalen cuántas opciones la da El Señor Jesús al hombre. Al finalizar discuta las opciones).

«Vemos que en Mateo 7: 13-14, El Señor Jesús nos da dos opciones: podemos escoger entrar por la puerta estrecha o por la puerta ancha. La ancha nos lleva a la perdición, pero la estrecha nos lleva a la vida».

«En Mateo 7:15-20, El Señor Jesús nos da dos opciones: podemos escoger ser como un árbol de fruto bueno (acciones buenas) o un árbol de frutos malos (acciones malas)». «Y en Mateo 7:24-27, El Señor Jesús nos vuelve a dar dos opciones: podemos construir nuestra vida en la arena o en la roca».

«Según la Biblia, sólo puedes escoger entre dos opciones o motivos. ¿Cuáles son esas dos opciones? Puedes decidir vivir tu vida para ti mismo, o para DIOS». (Mostrar los rótulos del «YO» y «DIOS» [ver láminas 5.3-5.4]). «Podemos sentarnos en el trono de nuestros corazones (poner rótulo «YO» en la silla) o podemos dejar que Dios se siente en el trono de nuestros corazones». (Poner rótulo «DIOS» en la silla).

«Si decidimos que el YO gobierne nuestra vida sentándose en el trono, estaremos viviendo en EGOÍSMO». (Mostrar y pegar el rótulo de «EGOÍSMO» [ver lámina 5.6] en el trono). «Egoísmo es buscar lo mejor para uno mismo sin importar el bienestar de Dios ni el de los demás. El que vive egoístamente sólo busca su propia felicidad. Una persona egoísta no ama a Dios ni a sus compañeros. Por ejemplo: si eres egoísta no esperas tu turno en la fila para la comida, sino que empujas a tus compañeros para ser el primero en comer. Inclusive puedes cantar o danzar en el grupo de tu iglesia para que otros te vean, sólo porque quieres ser feliz. Estas cosas no son malas pero, ¿por qué decimos que están equivocadas? Porque no le dan la gloria a Dios».

«Pero cuando elegimos vivir para Dios, estamos decidiendo vivir en amor». (Colocar rótulo «AMOR» [ver lámina 5.5] al lado del rótulo «DIOS»). «¿Recuerdan qué es el amor? El amor es buscar lo mejor para Dios y para los demás. Es decidir poner a los demás antes que a ti mismo. Por ejemplo: A la hora de almorzar, ¿es amoroso ponerme al frente de otros en la fila? No. ¿Estoy buscando lo mejor para ellos? No. Lo más amoroso sería irme a lo último de la fila y esperar mi turno. Una persona que vive por el motivo del amor juega, trabaja, o participa en la adoración de la iglesia para exaltar a Dios. No busca su propia felicidad sino la de Dios».

«Tú tienes que elegir cuál de estas dos opciones gobernará tu vida: o te gobiernas tú mismo, o permites que Dios te gobierne por amor. Toda persona tiene que tomar una decisión entre el yo o Dios. La decisión que hagas se llama elección suprema. ¿Qué es algo supremo?». (Permitir que los niños piensen y respondan). «Algo supremo es lo más importante en la vida. La elección suprema en tu vida es decidir que Dios esté sentado en el trono. Esta es la elección más importante de toda tu vida y va a determinar otras decisiones que vayas a tomar más adelante».

«¿Por qué tienes que elegir? Porque no se puede tener dos tronos». (Permitir que los niños piensen y respondan). «Sólo una persona se puede sentar en este trono. De igual manera, en tu vida sólo una persona puede gobernar: o tú, o Dios». (De ser posible, pida a un voluntario que lea Mateo 6:24. Pregúnteles a los niños qué dice el Señor Jesús acerca de «a cuántos Señores podemos servir)». « En este pasaje el Señor Jesús dice que sólo podemos servir a un señor. ¿A cuál señor estás sirviendo? ¿Quién está dirigiendo tu mente, tus emociones y tu voluntad?».

Drama:(Para este drama se necesitarán dos personajes y una silla que representará el trono del corazón).

Niño: (Entra un niño y se sienta en la silla del corazón y dice): «Que bien me siento al estar en control de mi vida, haciendo lo que yo quiero. Lo único que quiero es ser feliz. Mi meta en la vida es ser feliz. Voy a la escuela para ser feliz, tengo amigos para ser feliz, soy cristiano para ser feliz…y».

Jesús: (entra un hombre con una camisa blanca representando a Jesús). «El Señor Jesús le hace señas al niño de que quiere sentarse en su silla».

Niño: (El niño, después de un rato, capta el mensaje y dice): «Oh! ¡Claro que sí! Ven y siéntate conmigo». (El niño le ofrece una esquina de la silla).

Jesús: (El Señor Jesús le hace señas de que quiere toda la silla).

Niño: (El niño entonces le cede la mitad del asiento y dice): «Está bien, está bien. Lo aceptaré, Eres Jesús, ¡así que te daré la mitad de mi silla!».

Jesús: (El Señor Jesús lo mira un poco decepcionado y le hace señas de que necesita toda la silla o nada).

Niño: (El niño se molesta y le grita): «No te voy a dar toda la silla porque entonces yo me tengo que salir de ella…». (El niño hace como si crucificara a Jesús en la pared). «¡Solo una persona cabe en esta silla!». (Y se va del salón).

CIERRE:

Aplicación/Resumen

Maestro: «Aunque nadie vea la motivación secreta de tu corazón, Dios sí la ve. Cada niño debe preguntarse: ¿Por qué haces lo que haces? ¿A quién quieres hacer feliz, a ti mismo o a Dios? Hoy puedes decidir recibir la salvación al escoger vivir para Dios. Si reconoces que has vivido para ti mismo, pero ahora quieres vivir para Dios, puedes pasar al frente y te vas a arrodillar cerca del trono, como símbolo de que se lo cedes a Dios». (Dígale a los niños que repitan la siguiente oración: Señor Dios, reconozco que he traído tristeza a tu corazón al vivir para mí mismo. Me arrepiento y tomo la decisión suprema de vivir para ti. Tú serás el motivo por el cual quiero hacer todas las cosas).

HOJA DE REGISTRO:

Usted necesitará:

- Lámina de un corazón (lámina 1.3).

- Lámina de un trono (ver lámina 15.25).

- Lámina con las cualidades de la personalidad (ver láminas 15.9,15.10, 15.11).

- Rótulo de «DIOS»/«AMOR» (ver láminas 5.3, 5.5).

- Rótulo de «YO»/«EGOISMO» (ver lámina 5.4, 5.6).

- Pegante.

- Hoja de trabajo «¿Quién está sentado en el trono de mi corazón?» (ver lámina 15.8).

Reparta a cada estudiante la hoja de trabajo con los rótulos y las láminas anteriormente mencionadas. Permítales que peguen el corazón. Dentro del corazón deben pegar los atributos de la personalidad y el trono encima. Pídales que elijan el rótulo de quién ellos han decidido que gobierne su vida y lo peguen sobre el trono. (Permita que los niños escriban la idea principal de la clase): «El amor es el motivo supremo por el cual vivo». Una vez terminado, asegúrese de que los estudiantes guarden su trabajo en su carpeta o sobre.

Conciencia limpia

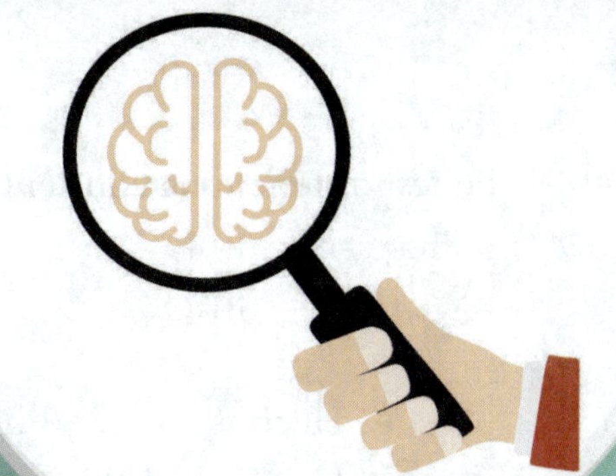

Conciencia limpia y temor de Dios
(Clase niños y adolescentes 8-11años)

TIEMPO: 1 hora y 30 minutos.

OBJETIVOS:

- Reconocer qué significa contar con «temor de Dios».
- Aprender a cómo mantener una conciencia limpia.
- Entender que la conciencia se ocupa primeramente en determinar nuestro deber, antes de que procedamos a la acción, y después en juzgar nuestras acciones cuando las llevamos a cabo.
- Reconocer que la manera en que alguien cuide su propiedad interior determinará cómo cuidará su propiedad exterior.

VOCABULARIO

- Conciencia:

Es aquello que *aprueba* o *condena* nuestras acciones. (Stephen McDowell).

Es la propiedad interna más sagrada que Dios nos ha dado, porque muestra lo que es recto o equivocado en nuestras acciones.

Es la habilidad dada por Dios para hacernos conocer lo malo y lo bueno; es lo que nos ayuda a hacer el bien por encima del mal.

Facultad moral del Hombre dada por Dios.

- Temor de Dios:

Es aborrecer el mal, odiar el pecado. Obedecer a Dios. Proverbios 8:13 «El temor del SEÑOR es aborrecer el mal».

IDEA PRINCIPAL:

Podemos tener una conciencia limpia que honre a Dios, si odiamos el pecado.

ESCRITURA BÍBLICA:

- ▸ Hechos 24:16. «Por esto, yo también me esfuerzo por conservar siempre una conciencia irreprensible delante de Dios y delante de los hombres».
- ▸ Proverbios 8:13 «El temor del SEÑOR es aborrecer el mal».

DESARROLLO:

Contenido de la lección

ACTIVIDAD DE INICIO:

Usted necesitará los siguientes materiales:

- Salón oscuro (apagando las luces o sellando las ventanas con papel: cinta, papel craft).
- 2 linternas pequeñas encendidas en dos esquinas del salón de clase.
- Sirena (que suene y brille de manera intermitente en rojo).
- Pañoleta para tapar los ojos del actor.
- Biblia gigante (hecha en cartón) que tenga escrito el Salmo 16:7 «Bendeciré a Jehová que me aconseja; aún en las noches me enseña mi conciencia».
- Media barra de plastilina blanda para cada niño y una barra de plastilina dura para el maestro.
- Una piedra mediana o pequeña.
- Una bolsa de basura negra llena de papeles. Dentro tendrá un pañal con chocolate untado (simulando popó).
- Radio para poner música romántica.
- Vaso de vidrio.
- Jarra con agua.
- Gotero con isodine con el rótulo «Pecado».
- Gotero con límpido (clorox) con el rótulo «Arrepentimiento».
- Maleta.
- Láminas:
- Una profesora (ver lámina CL1).
- Un cerebro (ver lámina CL2).
- Una boca (ver lámina CL3)
- Unas manos (ver lámina CL4).
- Ropa.
- Un reloj.

INICIO: (10 min).

Drama:

El salón de clase estará oscuro. Se hace sonar y brillar la sirena. Entra alguien disfrazada de niña, quien va tropezando con todo porque tiene una venda en sus ojos.

Niña: «¿Qué pasa conmigo? ¡No veo! ¿Por qué todo está tan oscuro?».

Entra otro personaje y dice: «¡Despierten! ¿No oyen? ¡Es la alarma despertadora! ¡Despierten! ¡Abran sus ojos! ¡Enciendan la luz de sus corazones! ¡Despierten!

Niña: «¡Estoy cansada de la oscuridad! ¡Quiero ver!¡Dios, sácame de mi oscuridad!, ¿Por qué no escucho la alarma? ¡Despiértame! ¡Alúmbrame con tu palabra!». (La niña cae de rodillas llorando. Se encienden las luces y se le caen sus vendas. Debe existir una cuerda de la cual la niña pueda tirar para poder hacer que la venda se desamarre y se caiga. La luz roja no deja de brillar aunque la alarma suena más suave. La niña ve a sus pies una Biblia abierta en el Salmo 16:7 que dice «Bendeciré a Jehová que me aconseja; aún en las noches me enseña mi conciencia». Lo lee en voz alta y dice: esta es la alarma despertadora: mi conciencia. La niña sale saltando sin tropezarse y se queda sentada entre los niños como para recibir la clase).

Desarrollo: (1 hora).

Maestro: (al terminar el drama el maestro le preguntará a los niños) «¿Qué le pasaba a la niña? No podía ver. ¿Por qué no veía y se tropezaba con todo? Porque tenía una venda en sus ojos. ¿Qué le pasó a la niña cuando oró a Dios? Se le cayeron las vendas. ¿Cuál era la alarma despertadora? Su conciencia».

Introducción:

«En la clase anterior hablamos de los motivos del corazón. La motivación del corazón, es aquello por lo cual haces lo que haces. Dios debe ser nuestra motivación y la razón por la cual hacemos todo. Si la motivación de tu corazón es traer alegría al corazón de Dios, hay dos cosas que van a ocurrir: 1. Dios te va a ayudar a mantener tu conciencia limpia. 2. Su temor va a estar sobre ti para que le obedezcas y odies el pecado».

CONCIENCIA

«Ahora, ¿qué es la conciencia?». (Sonará la alarma por unos segundos). Presten atención a este drama para que puedan ver lo que es la conciencia.

Drama:

Niño (entrando): «Mmm, estas son las galletas que mamá hizo ayer. Ella me dijo que sólo podía comerlas después del almuerzo. Dentro de poco voy a comer, ¿qué tal si sólo me como una? ¡Es lo mismo!». (Se escuchará la voz de alguien hablando, será la conciencia).

Conciencia: «¡No lo hagas! El comértelas antes del almuerzo no es lo que mamá dijo; si lo haces estarías desobedeciendo».

Niño: «Pero... Pero... Pero... Ah, no importa. Sí es lo mismo, sea antes o después, me las voy a terminar comiendo. Para no sentirme mal, me voy a comer sólo una». (Se come una galleta, y después otra y luego otra...) «¡Mmm, deliciosas!... ¿Qué horas son? ¡Ahora mismo es la hora del almuerzo! En realidad ya no tengo hambre, estoy lleno por las galletas. ¿Qué le voy a decir a mamá?

¿Le diré que no quiero comer? No quiero que se sienta mal, ella ha estado horas preparando el almuerzo... ¿Qué le diré?».

Conciencia: «Estuviste mal al no escucharme. Estas son las consecuencias de no obedecer la voz de tu conciencia».

Mamá: (entra y le dice) «Cariño, ven a comer que ya está listo el almuerzo».

Conciencia: «Sabes que debes decirle la verdad a tu mamá».

Niño: «Mamá, espera... La verdad es que no tengo hambre porque me comí las galletas que me dijiste que no comiera».

Mamá: ¿Ves? Por eso precisamente te dije que no las comieras hasta después del almuerzo, porque se te quitaría el hambre para comer algo saludable».

Niño: «Sí, me di cuenta después que lo hice, perdóname».

Mamá: «Bueno, te perdono, y gracias por decirme la verdad y no mentirme».

Conciencia: «¿Lo ves? ¿Ves que es mejor hacer lo correcto?».

Niño: «Ahora me siento tranquilo. La vocecita que escucho me dice que lo hice bien».

Mamá: Esa vocecita que escuchas es la conciencia, debemos obedecerla siempre. Ambos se abrazan y salen del salón».

Maestro: «¿Pudieron ver lo que es la conciencia?».

(Explicar y hacer referencia al drama, a medida que se mencionen las siguientes definiciones):

- La conciencia es esa voz interna que te dice lo qué está bien y que está mal.
- La conciencia es como una balanza que pesa nuestro conocimiento y nuestras acciones. Si sabemos que algo está mal y lo hacemos, no habrá balance. Si sabemos que algo está bien y no lo hacemos, tampoco habrá balance. Cuando hay desbalance, se activa la alarma.
- Es el regalo más valioso que Dios nos dio.

Funciones de la conciencia:

  ► Nos anima; antes de hacer algo bueno.
  ► Nos confirma; cuando hicimos lo correcto.
  ► Nos advierte; antes de hacer lo malo.
  ► Nos acusa; cuando hicimos algo que estuvo mal.

ESTADOS DE LA CONCIENCIA

• Nuestra conciencia puede estar como una de estas dos cosas: Mostrar una masa de plastilina dura y un pedazo de plastilina blanda.

• Repartir media barrita de plastilina blanda a cada niño. Pedir que la moldeen en forma de círculo o cuadrado. Decir: Esta plastilina representa una conciencia limpia. Esta conciencia está despierta, eso quiere decir que la persona hace lo bueno y obedece su conciencia. Cuando la conciencia está blanda, Dios nos puede dar forma a nosotros, así como podemos darle forma a esta plastilina.

• Ahora, cuando no obedecemos nuestras conciencias, en vez de estar blanda, se pone así de dura. (Mostrar la barra de plastilina dura). «Cuando la conciencia está dura, es difícil trabajar con ella, ya que no podemos darle forma. Si seguimos desobedeciendo nuestras conciencias, se va poniendo más dura. (Mostrar la roca y pasarla a algunos para que la toquen). Así, Dios no nos podrá dar forma porque tenemos nuestras conciencias endurecidas».

• Podemos saber que nuestra conciencia está dura como esta piedra, cuando nos sentimos bien haciendo lo malo. Cuando desobedecemos nuestra conciencia y seguimos tranquilos sin ningún sentido de culpa.

Ejemplos:

• Cogemos algo que no es de nosotros (robamos), y seguimos como si nada, lo vemos normal porque todos nuestros amigos lo hacen.

• Desobedecemos a nuestras autoridades (padres, maestros en la escuela) y no sentimos tristeza.

• No pedimos perdón a nuestros compañeros por los daños que hemos hecho.

• Ahora que entendemos lo que es la conciencia y cómo funciona. Vamos a hablar sobre el temor a Dios.

TEMOR DE DIOS

Drama:

«Se pone música romántica de fondo. Entra una persona abrazando una bolsa de basura. (La bolsa de basura tendrá papeles dentro y un pañal con chocolate untado, simulando popó). La persona se comporta como si estuviera enamorado de la bolsa, al punto de darle un beso. Luego de abrirla poco a poco, saca con brusquedad los papeles de la bolsa y mete su cabeza dentro. Cuando sale, tiene el pañal en su mano. Lo destapa y se lo muestra a los niños (parecerá popó). Coge un poco en su dedo, se lo come, y muestra que le gustó mucho. Entonces coge más y se pasa el pañal por la cara desesperadamente, untándose del popó (chocolate). Se ve como si lo hubiera disfrutado. Luego sale del salón».

Maestro: «¡Qué desagradable es esto! ¿Cómo es posible que alguien pueda querer embarrarse con basura? Eso es asqueroso. ¡Es horrible! Así de horrible es cuando pecamos; así mismo estamos embarrando nuestro corazón. ¿Por qué pecamos entonces? 1. Porque en el corazón reina el egoísmo y no el amor. 2. Porque no tenemos el temor de Dios para odiar el pecado, para resistirlo y para obedecer a Dios».

La niña: (se levanta y dice) «Yo me siento muy mal, yo soy como esa persona. Necesito que Dios me limpie porque mis actitudes no han sido las correctas y he dejado de escuchar mi conciencia. ¿Qué puedo hacer para volver a escucharla?».

Maestro: «Pues siéntate, que te voy a explicar a ti y a los chicos, lo que podemos hacer para limpiar nuestras conciencias y hacer que vuelvan a funcionar. Primero les mostraré un experimento que nos ayudará a comprender esto mucho mejor».

Experimento:

En un vaso de vidrio que representa al ser humano, se vierte agua representando la conciencia como la habilidad dada por Dios para alertarnos. Luego se toma un gotero que contiene desinfectante rotulado como «Pecado» y se vierten varias gotas en el agua, describiendo algunos pecados específicos (pelear, mentir, decir malas palabras, no ayudar a la gente, no compartir).

Maestro: «Esto mismo sucede cuando el Temor de Dios no está en nuestras vidas; amamos el pecado y no vamos a Dios para que nos limpie. Cuando el agua esté oscura, se les preguntará a los chicos ¿creen que hay alguna solución? (Dejar que respondan). Entonces se muestra el gotero que contiene lejía (clorox, límpido) rotulado como «Temor de Dios». Se introducen varias gotas representando nuestro arrepentimiento. Explicar que el temor de Dios produce arrepentimiento, y esto nos ayuda a ir a Dios para ser limpios».

Maestro: «El temor de Dios nos permite limpiar nuestras conciencias».

La niña: ¡Ah, ya comprendo! Yo quiero tener el temor de Dios en mí, pero ¿qué exactamente es el Temor de Dios?».

¿QUÉ ES EL TEMOR DE DIOS?

Maestro: «La Biblia dice que el temor de Dios es aborrecer el mal. O sea, el temor de Dios es odiar el pecado. Cuando odiamos algo, ¿vamos a querer hacerlo? ¡No! Si realmente odiamos el pecado, decidimos no ser egoístas, no ser orgullosos, no decir groserías, no hacer cosas malas. El temor de Dios es amar tanto a Dios, que decidimos no hacer lo que no le agrada».

- Solo podremos limpiar nuestras conciencias, cuando tengamos el temor de Dios. Necesitamos arrepentirnos, cambiar de dirección para no seguirnos contaminando con el pecado.
- El temor de Dios es obedecerle. Para que sea obediencia, tiene que ser inmediata, completa y con gozo.

Ejemplos:

- Si mamá me ordena a hacer las tareas de la escuela, y yo las hago al rato, no fui obediente. La obediencia es inmediata, sino es desobediencia.
- Si mamá me manda a organizar el cuarto, y yo sólo ordeno la cama y coloco todos los zapatos debajo del escritorio para que no se vean, ¿fui obediente? No, porque la obediencia es completa.
- Si mamá me manda a botar la basura, y yo lo hago de mala gana y quejándome, no es obediencia. La obediencia tiene que ser con gozo, sino es desobediencia.

ÁREAS EN QUE NECESITO EL TEMOR DE DIOS

Se sacará una maleta que contiene láminas que representarán cada área.

Maestro: «Veamos en qué áreas necesitamos desarrollar el temor de Dios:

- El temor al hombre (sacar la figura de una profesora): Tener temor al hombre es cuando nos importa más lo que otros piensen de nosotros (compañeros, maestros, padres), que lo que Dios puede pensar».
- Pensamientos (sacar un cerebro): Dios desea que nuestros pensamientos sean puros y limpios, como los de Él.
- Palabras (sacar una boca): Nuestras palabras deben reflejar a Dios. De nuestra boca no debe salir: queja, chisme, críticas, palabras groseras, etc.
- Acciones (sacar unas manos): Lo que hacemos debe ser lo que nuestras conciencias aprueben.
- Vestimenta (sacar ropa): Debemos mostrar a Dios en cómo nos vestimos.
- Tiempo (sacar un reloj): Necesitamos el temor de Dios en cómo usamos nuestro tiempo.

CIERRE: (10-15 min) Resumen:

- La conciencia es esa voz interna que nos aprueba si hacemos las cosas bien, y nos condena si hacemos las cosas mal.

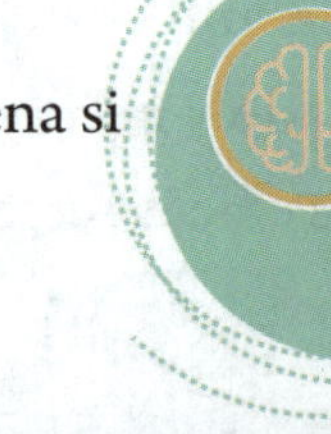

- Podemos tener una conciencia limpia que honre a Dios, si obedecemos lo que nos dice.
- El temor de Dios es odiar el pecado.
- La obediencia es inmediata, completa y con gozo.

AUTOEVALUACIÓN:

- ¿Hemos desobedecido nuestra conciencia? ¿Hemos hecho cosas malas haciendo que se vuelva dura? Necesitamos venir a Dios en arrepentimiento para que Él nos limpie y vuelva a hacer funcionar nuestras conciencias. ¿Cuántos quieren limpiar sus conciencias?
- Volver a hacer y explicar el experimento con un medicamento antiséptico y lejía. Hemos pecado y ensuciado el corazón, pero si nos arrepentimos (decidir no volverlo a hacer), Dios nos perdona y limpia.
- Hacer una oración dirigida.
- Pedir perdón por desobedecer la conciencia.
- Tomar la decisión de no volverlo a hacer.
- Pedirle a Dios que restaure nuestras conciencias.
- Hacer el compromiso de obedecerla a partir de ese día.
- Volver a mostrar el vaso con el agua limpia. Recordarles que ahora estamos limpios porque Dios nos perdonó y limpió.
- Nuevamente sonará la alarma. Nuestras conciencias ahora están despiertas, y cuando suene en ciertas situaciones, las vamos a obedecer.

Pasar a la mesa: (5-10 min)

HOJA DE REGISTRO:

Dibujarán en qué áreas de sus vidas deben tener el temor de Dios para mantener sus conciencias limpias. El maestro les recordará las áreas: Pensamientos, palabras, acciones, tiempo, vestimenta, etc.

Nombre: ____

Fecha: _______________________________

Para mantener mi conciencia limpia, debo tener el temor de Dios en las siguientes áreas de mi vida:

Proverbios 8:13 «El temor de Dios es aborrecer el mal...»

Temor de Dios

Alarma encendida y sonando

HOJA DE REGISTRO:

Dar a cada niño su hoja de trabajo y crayolas, para que dibujen en qué áreas de sus vidas deben tener el temor de Dios para mantener sus conciencias limpias.

Alabanza y Adoración

LECCIÓN 6

Alabanza y adoración

(Todas las edades)

TIEMPO: 2 horas.

OBJETIVOS:

- ► Distinguir la diferencia entre alabanza y adoración.
- ► Revivir la experiencia de alabanza y adoración según el tabernáculo del Antiguo Testamento.
- ► Tener un encuentro íntimo con Dios.

VOCABULARIO:

- ► Alabar:

Es elogiar, celebrar con palabras, celebrar con cánticos, bendecir, engrandecer, ensalzar, exaltar, glorificar, loar, magnificar, pregonar, regalar, celebrar.

- ► Adorar:

Es reverenciar un ser que se considera divino, honrar, querer a algo o alguien extremadamente; amor muy profundo o admiración extrema.

BASE BÍBLICA:

- ► Éxodo 25-27, Mateo 27: 50-51: «Jesús lanzó otro fuerte grito, y murió. En aquel momento, la cortina del templo se partió en dos, de arriba abajo, la tierra tembló y las rocas se partieron».

Contenido de la lección

Preparación antes de la clase:

Antes de comenzar la clase es importante que el maestro o su ayudante preparen las estaciones por donde van a pasar todos los niños: 1) el lugar donde se quema la ofrenda, 2) el lavatorio, 3) el lugar de adoración, 4) el lugar santo, 5) el lugar santísimo.

Usted necesitará:

- Un envase resistente al fuego (puede ser una olla o recipiente de metal) (ver lámina 6.1).
- Un envase o recipiente con agua (ver lámina 6.2).
- Un extintor de fuego (en caso de emergencia).
- Gasolina o líquido inflamable y fósforos.
- Equipo de sonido con CD (mp3, iPod) con música de alabanza y adoración (si es posible, hagan una banda de músicos en vivo).
- Una cortina que separe el lugar santo del lugar santísimo.
- Una tijera (para cortar la cortina).
- El arca del pacto para el lugar santísimo (ver lámina 6.3).

ACTVIDAD DE INICIO:

Usted necesitará:

- Power Point y Proyector o Láminas.
- Lámina de un auto (Lámina 6.4).
- Lámina de un pan tostado (Lámina 6.5).

(Para comenzar la clase, el maestro dice: «Es importante que todos estemos "concentrados" porque la meta en este momento es: encontrarnos con Dios». (En este momento pueden hacer una oración implorando al Espíritu Santo). Haciendo uso de un Power Point o de las láminas, el maestro mostrará la foto de un automóvil y preguntará: «¿Cuál es el propósito de tener este auto?». (Dejar que los niños respondan). «El propósito es transportarnos. ¿Cómo sabemos esto?». (Dejar que los niños respondan.) «Cuando miramos el auto vemos que tiene asientos y un motor. Esto le permite a una persona manejar el auto para transportarse. El sólo diseño del auto nos revela para qué fue creado. Pero, ¿a quién debo preguntar cómo funciona?». (Dejar que los niños respondan). «Debo consultar a la persona que diseñó el auto».

«Cuando adquirimos un auto nuevo este viene con un manual de instrucciones que explica el diseño del automóvil y cómo funciona. Pero, ¿qué sucedería si este auto pudiera decidir que no va a transportarme? ¿Qué pasaría si el auto decidiera que es una tostadora de pan?». (Dejar que los niños respondan). «No funcionaría porque el auto no fue diseñado para tostar pan sino para transportar gente. De la misma manera, nosotros fuimos creados para adorar y alabar a Dios. Cuando no adoramos a Dios, es como cuando el carro quiere tostar pan. ¡Es absurdo!».

DESARROLLO:

Usted necesitará:

a.   Rótulo con la palabra alabar (lámina 6.6).

b. Rótulo con la palabra adorar (lámina 6.7).

c. Lámina del tabernáculo con la presencia de Dios en forma de nube (lámina 6.8).

d. Lámina del sumo sacerdote (lámina 6.9).

e. Lámina del área de sacrificio (lámina 6.10).

f. Lámina del altar de sacrificio y envase bronce (lámina 6.11).

g. Lámina de los atrios (lámina 6.12).

h. Lámina del lugar santo (lámina 6.13).

i. Lámina del lugar santísimo (lámina 6.14).

j. Ovejas dibujadas en papel 5" x 5" (Ver anexo 6.a en la Unidad de proyectos).

Hacer uso del Power Point o de las láminas que tengan la palabra «Alabar» y «Adorar» con sus definiciones. [Ver lámina 6.6 y 6.7]. Adorar y alabar son dos cosas distintas. La palabra alabar significa elogiar, celebrar con palabras: bendecir, celebrar con cánticos, concelebrar, engrandecer, ensalzar, exaltar, glorifica, loar , magnificar, pregonar y regalar. Adorar es reverenciar un ser que se considera divino, honrarlo, querer a algo o alguien extremadamente. Es un amor muy profundo o admiración extrema.

«En el Antiguo Testamento vemos que Dios estableció principios para que su pueblo pudiera alabarle y adorarle. Ahora vamos a revivir esos principios y le vamos a pedir a Dios que nos muestre su voluntad para adorarlo».

«¿Cómo podemos hacer esto? Cuando el pueblo de Israel vivía en el desierto, Dios estableció el tabernáculo». (Mostrar el Power Point o láminas a color del tabernáculo [Lámina 6.8]). «Así era en el tabernáculo donde la presencia de Dios bajaba y habitaba en medio de su pueblo. (Mostrar lámina a color donde se ve la presencia de Dios en medio del tabernáculo [Lámina 6.8]). El tabernáculo era el lugar donde iba una persona cuando pecaba contra de Dios. Esta persona debía llevar una ofrenda en señal de arrepentimiento, y allí la sacrificaba como símbolo de expiación de su pecado. La ley que Dios estableció en ese tiempo decía que si tú pecabas, tenías que llevar una oveja para sacrificarla como sustituto por tu pecado. El encargado del sacrificio era el Sumo Sacerdote (mostrar lámina de sumo sacerdote [Lámina 6.9]). El sumo sacerdote tenía una vestimenta especial con 12 piedras preciosas en el pecho que significaban las 12 tribus de Israel, y en su frente tenía un rótulo que decía «Santidad a Dios». Después que el Sumo Sacerdote recibía la ofrenda, iban al área del sacrificio (mostrar lámina del área del sacrificio [Lámina 6.10]). Era allí donde la persona pecadora debía tomar la oveja y confesar sus pecados al sumo sacerdote. Él degollaba la oveja con la seguridad de que "la paga del pecado es la muerte"».

«Luego la oveja muerta era llevada al altar del sacrificio donde se quemaba como sacrificio por los pecados (mostrar lámina del altar de sacrificio [lámina 6.11]). Luego pasaban al área donde se encontraba un envase de bronce (mostrar lámina del envase de bronce [lámina 6.11]). En este lugar el sumo sacerdote se limpiaba la sangre del sacrificio y se aseguraba de estar sin mancha, es decir, totalmente limpio, ya que la sangre del sacrificio significa pecado. Después pasaban a los atrios (mostrar lámina de los atrios [lámina 6.12]) donde estaban los cantores con sus instrumentos. Juntos alababan a Dios por el perdón de los pecados, exaltándolo y bendiciéndolo».

«Después el sumo sacerdote pasaba al lugar santo (mostrar lámina del lugar santo [Lámina 6.13]). En este lugar había tres cosas simbólicas: La mesa del pan (significa que Dios es nuestro sustento), el altar del incienso (representa las oraciones de los santos), y la Menorá que era el candelabro de los 7 brazos (significando los 7 días de la creación.) El candelabro debía estar siempre encendido como símbolo de la presencia de Dios en nuestras vidas».

«Lugar santísimo donde estaba la presencia misma de Dios. Ahí se encontraba el arca del pacto, la vara de Aarón, el maná y las tablas de los 10 mandamientos». (Mostrar Lámina del lugar santísimo [Lámina 6.14]).

Actividad:

Maestro: «Como nuestra meta es poder ver a Dios en este momento, es claro que no podemos verle si hay pecado en nuestros corazones. Por eso, cada uno de nosotros va a recibir una oveja de papel, y vamos a orar pidiéndole a Dios que traiga a nuestra mente los pecados que hemos cometido. Digale al niño que los escriba». (De no saber escribir, que los dibuje) en la oveja de papel. «Nadie va a mirar tu oveja. Eso es sólo entre TÚ y DIOS». (Cada estudiante recibe un dibujo de una oveja pequeña, puede medir 5" x 5" o 15 cm por 15cm).

El maestro debe orar en voz alta y dar tiempo para que los niños escuchen la voz de Dios y escriban (dibujen) lo que Dios traiga a su mente. Una vez terminen, el maestro lleva al grupo a la primera estación que es el altar del sacrificio).

ALTAR DEL SACRIFICIO

(En esta área el maestro estará al lado del envase de fuego y todo el grupo estará frente a él, formando un semicírculo). El maestro dirá: En este momento debe haber total silencio porque vamos a arrepentirnos de nuestros pecados. Ahora vamos a encender un fuego, y si tú estás verdaderamente arrepentido, vas a tirar tu ovejita en el fuego como símbolo de que no quieres volver a pecar. Es tu decisión, nadie te va a forzar. (Una vez haya explicado esto, el maestro colocará gasolina o líquido inflamable en el envase y prenderá el fuego. ¡Atención! Deben tener un extintor de fuegos en caso de emergencia. Los niños que son muy pequeños deben entregarle a su líder las ovejitas de papel para que ellos las depositen en el fuego. Una vez hayan terminado esta ceremonia pasan a la próxima estación).

ENVASE DE BRONCE (LAVATORIO)

(En esta área el maestro se coloca al lado del envase con agua mientras todo el grupo se colocará frente a él, en forma de semicírculo).

El maestro dirá: «El agua que ustedes ven frente a ustedes representa el perdón de parte de Dios. Vamos a pasar uno a uno, y cuando laves tus manos debes dar gracias a Dios en tu mente y en tu corazón, porque gracias a Él y a Jesús nuestros pecados fueron perdonados. (Los niños pasarán uno a uno y lavarán sus manos. Una vez terminen este proceso pasan a la próxima estación).

ÁREA DE LOS ATRIOS

(Cuando entren los niños debe haber un grupo de adoración listo con sus instrumentos. Una persona adulta ó grupo de adoración estará lista para liderar la alabanza. Este es un tiempo para celebrar el perdón. Pueden cantar canciones conocidas o usar CD's, ó mp3, iPod). El maestro dirá: En este momento vamos a dar gracias a Dios por el perdón de nuestros pecados. Es tiempo de alabar a Dios y bendecirle porque ha sido bueno. (al terminar la alabanza pasan a la próxima estación).

ÁREA DEL LUGAR SANTO y LUGAR SANTÍSIMO

(Los niños entran al lugar donde hay una cortina grande, la cual los separa del lugar santísimo. En este lugar van a tener un tiempo de adoración. La música debe inspirar la presencia de Dios. Después de un tiempo de adoración el maestro leerá Hebreos 4:16. Y dirá: Gracias al sacrificio de Jesús tenemos libre acceso a la presencia de Dios. (El maestro les invita a pasar al lugar santísimo. Este tiempo debe ser un momento especial para que los niños entren a la presencia de Dios. Es importante que los líderes y adultos estén listos para ministrar a los niños).

CIERRE:

(Al finalizar esta actividad es muy importante escuchar a los niños para ver qué les habló Dios. Para esto puede dividirlos en grupos pequeños y/o tener un tiempo de compartir con el grupo general).

Lección 7

Esfera de la familia

(Clases niños 8-11 años)

Color de la esfera de la familia: Anaranjado.

TIEMPO: 1 hora 30 min.

OBJETIVOS:

- ► Aprender el propósito de Dios para la familia.
- ► Repasar lo que es el amor.
- ► Comprender que la familia se fundamenta en un pacto.
- ► Distinguir los roles del hombre, la mujer y los hijos dentro de la familia.
- ► Examinar si están viviendo su rol como hijos dentro de la familia.

VOCABULARIO:

- ► Amor:

Es benevolencia o buena disposición, que consiste en elegir el bien supremo de Dios y de los demás. (Basado en la Teología Sistemática, Capítulo 8, Charles Finney).

- ► Familia:

Es la unión de un hombre y una mujer, quienes han hecho un pacto de cumplir la voluntad de Dios, de ser fructíferos y bendecir el mundo. (Liberando las Naciones, Stephen Mc Dowell).

IDEA PRINCIPAL:

- ► La familia muestra el amor de Dios.

- ▸ Efesios 5:25: «Esposos, amen a sus esposas como Cristo amó a la iglesia y dio su vida por ella».
- ▸ Efesios 5:22-23: «Las esposas deben estar sujetas a sus esposos como al Señor. Porque el esposo es cabeza de la esposa, como Cristo es cabeza de la iglesia, la cual es su cuerpo; y Él es también su Salvador».
- ▸ Efesios 6:1-3: Hijos, obedezcan a sus padres como agrada al Señor, porque esto es justo. El primer mandamiento que contiene una promesa es este: «Honra a tu padre y a tu madre, para que seas feliz y vivas una larga vida en la tierra».

Contenido de la lección

ACTIVIDAD DE INICIO:

Usted necesitará:

Maestro: «¡Buenos días! De hoy en adelante comenzaremos a descubrir las diferentes esferas o áreas de transformación de la sociedad que surgen de Dios como respuesta al mandato que Dios nos dejó en Génesis de gobernar toda la Tierra. Ustedes las vieron algunas de estas áreas en el drama de bienvenida. Abre tu corazón para que puedas escuchar el llamado que Dios te hace a trabajar en una o varias de estas esferas de la sociedad». (Comience con una oración entregando el corazón de cada niño en las manos de Dios para que les dé entendimiento de cómo pueden ser niños que comiencen a transformar cada una de estas áreas de la sociedad).

Drama:

El maestro escogerá a cinco niños voluntarios de la clase (cuatro varones y una mujer). Tres de ellos representaran a la Trinidad; uno será Dios Padre, otro Dios Hijo, otro el Espíritu Santo. El otro será Adán y la mujer será Eva. Ellos no hablarán, sino que actuarán según el maestro vaya narrando la historia. (El maestro debe animar a los niños para que actúen de acuerdo a lo que están escuchando. Es ideal que el maestro cuente la historia de memoria).

Maestro: «Buenos días. Hoy les contaré la historia más grande de Amor».

Historia: «Desde la eternidad, Dios Padre, Dios Hijo y Dios Espíritu Santo vivían juntos en unidad. Cada uno tenía tareas y responsabilidades únicas, pero aunque tenían distintas funciones, ellos escogieron ser uno en pensamiento y compartir las mismas metas. Ellos se amaban, se cuidaban y siempre buscaban lo mejor el uno para el otro. Entre ellos no existía egoísmo, porque siempre decidían ayudar al otro y buscaban como bendecirse y alegrarse mutuamente».

«En un momento dado, el Padre pensó: «¿No sería extraordinario si creáramos otros seres similares a nosotros, que pudieran ser parte de esta hermosa relación y experimentar la felicidad que nosotros experimentamos? Eso traería tanta alegría a mi Hijo y al Espíritu Santo…».

«Al mismo tiempo el Hijo pensó: El Padre se goza y se deleita en dar a otros. Si tan solo hubiera otras personas con las que él pudiera pasar tiempo y darse a conocer a ellos…».

«También el Espíritu Santo se decía a sí mismo: Si hubiera una forma en que pudiera ayudar a cumplir los anhelos del Padre y del Hijo, creando otros seres que los pudieran amar con todo el corazón, yo Les ayudaría a conocer el corazón de Dios, así como su voluntad».

«Así que los tres dijeron: Hagamos al Hombre. Hagamos a muchos seres que puedan vivir en comunidad, así como nosotros. Seres con la capacidad de amar y de decidir cada día buscar lo que es mejor para el otro ¡así como nosotros lo hacemos!».

«Entonces Dios se postró en la tierra, tomó un poco de barro y comenzó a darle forma. Sus manos se ensuciaron, pero aun así continuó trabajando en los detalles de esta nueva creación: el hombre. Luego de haberlo moldeado, Dios sopló sobre el hombre aliento de vida. Entonces el hombre abrió sus ojos y tuvo frente a frente a su Creador mirándolo con amor».

«Dios decidió entonces hacer a la mujer para que el hombre viviera en comunidad y para que pudiera amar y ser amado. Así que Dios durmió al hombre y de su costilla creó a Eva. ¡Qué hermosa creación! ¡Dios creó la familia! Entonces Dios les dijo que trabajaran, que se multiplicaran, y que llenaran toda la Tierra. Dios quería que se sirvieran, se bendijeran y que siempre se amaran, para reflejarnos quién es Él».

Desarrollo:

Usted necesitará:

- Rótulo de la palabra de vocabulario «FAMILIA» (lámina 7.1).
- Lámina de un hombre (lámina 7.3).
- Lámina de una mujer (lámina 7.4).
- Lámina de unos anillos de matrimonio (lámina 7.5).
- Lámina de una corona (lámina 7.6).
- Lámina de los hijos (lámina 7.7).
- Lámina del mundo (lámina 7.8).
- Lámina de la Trinidad (lámina 15.12).
- Lámina de la familia (lámina 15.13).
- Tres bolsitas de arena de colores (cada bolsita debe ser de un color distinto; también se puede utilizar gelatina de colores).
- Una copa de cristal.
- Rótulo de la palabra de vocabulario «AMOR» (lámina 20.10).
- Varias cajas de rompecabezas sencillos para niños (uno por grupo pequeño).
- Pañuelos o vendas para cubrir los ojos (uno para cada niña).
- Rótulos de las palabras:
- Protege (lámina 15.14).
- Enseña (lámina 15.15).
- Disciplina (lámina 15.16).
- Provee (lámina 15.17).
- Nutre (lámina 15.18).
- Cuida (lámina 15.19).

- Trae belleza (lámina 15.20).

- Ayuda a papá (lámina 15.21).

- Obedece (lámina 15.22).

- Un pote de Nutella.

- Bananos (uno por cada dos niños).

- Cuchillos plásticos (uno para cada niña).

- Una bandeja, desechables.

- Guantes para manipular alimentos (un par para cada niña).

- 2 Servilletas.

Maestro: «Así, con la unión de Adán y de Eva, Dios comenzó la familia, la esfera más importante de toda socieda». (Mostrar y pegar el rótulo de FAMILIA en «El mural de palabras» [ver lámina 7.1]).

«Una familia está formada por un hombre (pegar lámina de un hombre [ver lámina 7.3]) y una mujer (pegar lámina de una mujer al lado de la lámina del hombre [ver lámina 7.4]) quienes han hecho el pacto (pegar lámina de los anillos de matrimonio [ver lámina 7.5]) de juntos cumplir la voluntad de Dios para sus vidas (pegar lámina de una corona encima de las láminas del hombre y la mujer [ver lámina 7.6]), de tener hijos (pegar lámina de los hijos [ver lámina 7.7]) y bendecir al mundo (pegar lámina del mundo [ver lámina 7.8]). Según esta definición, ¿quiénes componen la familia?». (Permitir que los niños piensen y respondan). «La familia comienza con un hombre y una mujer. Pero hoy nos quieren hacer creer que la familia puede estar formada por dos hombres o dos mujeres. Esto no es lo que dice la Biblia. La primera familia que Dios creó comenzó con un hombre y una mujer a la que luego se le añadieron los hijos. Ese fue el diseño de Dios».

«Entonces, según la historia que acabamos de escuchar, ¿de dónde salió la idea de la familia? El modelo perfecto de una familia que se nos ha mostrado desde el principio ha sido el de la Trinidad: Dios Padre, Dios Hijo y Dios Espíritu Santo. Cuando hablamos de la Trinidad, estamos hablando de un sólo Dios, compuesto por tres personas. Aunque cada uno de ellos tiene diferentes funciones, han decidido vivir en perfecta unidad». (Pegar letrero de la Trinidad en algún sitio visible [ver lámina 15.12]).

«Este misterio nos enseña que el Padre es el origen (la fuente), el Hijo es el mediador (el medio a través de quien ocurre lo que el Padre origina), y el Espíritu Santo es el ejecutor (el efecto, por quien ocurre)».

«A pesar de la diversidad o las diferentes funciones de cada persona de la Trinidad, entre ellos hay perfecta unidad». (Pedir a tres voluntarios que pasen al frente. Entregue a cada voluntario una de las arenas de color. Permita que cada uno derrame un poco de su arena en el envase de cristal. Cuando a cada voluntario le quede poca arena de color, dígales que echen la arena restante todos a la vez. Al final debe quedar el jarrón bellamente decorado con las diferentes arenas).

Maestro: «Estas arenas están todas contenidas en este envase. Podemos decir que están unidas como Dios Padre, Dios Hijo y Dios Espíritu Santo. Pero aunque hay unidad, vemos que no todas las arenas son iguales porque cada arena mantiene su color. Así mismo es la Trinidad de Dios. Ellos están unidos y por eso sabemos que son un solo Dios, pero cada uno mantiene sus funciones. Así mismo es la familia».

«Cada miembro es diferente y tiene funciones o roles diferentes, pero pueden estar en unidad por amor».
.

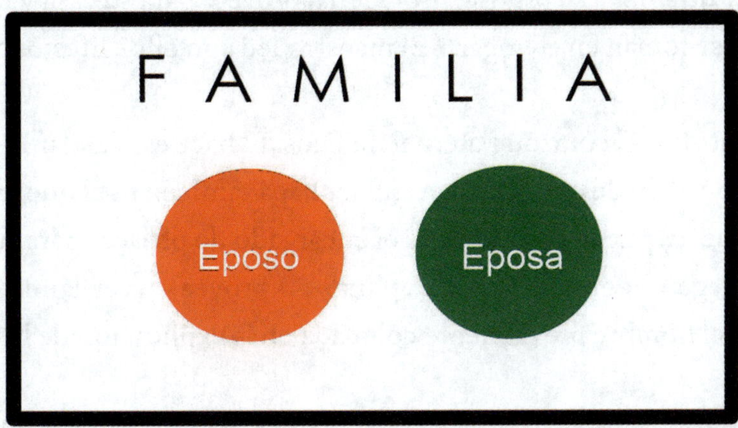

(Pegar el letrero de la familia al lado del letrero de la Trinidad [ver lámina 15.13]). «Dios creó a la familia para que vivan en amor, así como la Trinidad vive en amor. La razón por la cual la Trinidad y la familia pueden permanecer en unidad es porque cada uno de los miembros han hecho un pacto de vivir en amor (pegar el rótulo de la palabra de vocabulario AMOR [ver lámina 7.2]). ¿Recuerdan lo que es el amor? Amor es la decisión de buscar el bien mayor (buscar lo que es mejor) para los demás».

«Tal como lo dice la definición de familia (hacer referencia a las láminas que se utilizaron al explicar la definición de familia, especialmente al anillo) el hombre y la mujer hacen un pacto cuando se casan. ¿Sabes qué es un pacto? Un pacto es un acuerdo entre dos personas para hacer algo. La familia es una relación de pacto, de un acuerdo mutuo para cumplir la voluntad de Dios y amarse toda la vida».

«Cuando los hijos nacen, automáticamente pasan a ser parte de este pacto que un día mamá y papá hicieron de amarse y hacer la voluntad de Dios. Algún día cuando te cases, tendrás que hacer un pacto con la persona que va a ser tu esposo/a. Por eso necesitas aprender desde ahora a vivir en un pacto con tus padres. Ese pacto está ligado por el amor».

Resuma:

«Hasta aquí hemos dicho que la familia surge del modelo de la Trinidad, Dios Padre, Hijo y Espíritu Santo. Hemos aprendido que la familia puede vivir en unidad porque cada miembro de la familia decide hacer un pacto de amor. Por esto, el propósito de la familia es mostrar el amor de Dios. Ahora vamos a aprender cómo puede la familia mostrar el amor de Dios entre ellos mismos y con los demás».

Actividad:

Divida los niños en grupos pequeños. Entregue a cada grupo un rompecabezas de pocas piezas. En uno de los grupos coloque un líder quien será responsable de unir piezas equivocadas con la imagen hacia atrás, o con la imagen al revés. Al finalizar pregunten a cada grupo cómo les fue. Permita que cada grupo, junto al líder que montó el rompecabezas equivocadamente, expresen su sentir. Aproveche este momento para explicar que cada pieza del rompecabezas tiene un propósito, y cuando no se cumple ese propósito el rompecabezas se daña. Lo mismo ocurre con la familia. Cada miembro de la familia (papá, mamá, hijos) tiene un propósito o rol. Si ellos no lo cumplen y no se aman entre sí, la familia se daña [1].

Cada miembro de la familia ama a los demás cuando cumple sus roles dados por Dios.

- **Hombre:** El rol del hombre se divide en dos: esposo, y padre.
  - ▸ Esposo: tiene el deber de amar a su esposa, protegerla, proveer para su casa y llevar la responsabilidad por las decisiones que se toman en el hogar. (El maestro lee con ellos Efesios 5:25 y los niños lo subrayan en sus Biblias).
  - ▸ Padre: El papá debe mostrar el corazón paternal de Dios. Él hace esto al dar instrucciones, disciplinar e instruir a sus hijos con el fin de que estos aprendan. Papá también es el que les protege y defiende de cualquier cosa mala que les pueda suceder, y es el encargado de proveer para sus necesidades.

(Pegar los rótulos «protege», «enseña», «disciplina», «provee» [ver láminas 15.14, 15.15, 15.16, 15.17] al lado de la lámina del hombre previamente colocada en la explicación de la definición de familia).

Actividad:

Se ubican los niños en parejas. Las niñas llevarán los ojos vendados y los varones las guiarán por el salón, evitando que tropiecen. Al terminar la dinámica debe preguntarle a una pareja de niños cómo fue la experiencia. Explicar que el hombre es el que dirige la familia buscando protegerla de cualquier daño.

- **Mujer:** De igual manera que el hombre, la mujer también tiene dos responsabilidades: ser esposa y madre.
  - ▸ Esposa: Tiene la responsabilidad de ayudar al hombre a cumplir con su llamado y también de respetarlo como autoridad del hogar. (El maestro lee con ellos Efesios 5:22-23 y lo subrayan en sus Biblias).
  - ▸ Madre: La mamá debe mostrar el corazón maternal de Dios. Ella hace esto al cuidarnos, nutrirnos (promover el crecimiento, dar educación e instruirnos), trayendo belleza al hogar, convirtiéndolo en un lugar de paz y descanso, y al ayudar a papá a cumplir con la tarea que Dios le dio de desarrollar un hogar.

(Pegar los rótulos: «nutre», «cuida», «trae belleza», «ayuda a papá» [ver láminas 15.18, 15.19, 15.20, 15.21] al lado de la lámina de la mujer).

Actividad:

Se les entregan a las niñas algunos bananos y un pote de Nutella. Ellas serán las responsables de preparar una bandeja creativa utilizando ambos ingredientes. Una vez finalicen compartirán la bandeja con la clase.

Maestro (pregunta a los niños varones): «¿Qué se siente al ser servido de una manera cuidadosa, creativa y agradable, tanto a la vista como al paladar, a diferencia de recibir un simple banano en la mano?».

- Hijos: Los hijos mostramos nuestro amor cuando honramos y obedecemos a papá y mamá.

(El maestro lee con ellos Efesios 6:1-3 y los niños lo subrayan en sus Biblias. Pegar el rótulo:

---

1. Basada en actividad del libro: Las 1001 maneras de presentar la Biblia a los niños, Kathie Reimer, p.26

«Obedece» [ver lámina 15.22] al lado de la lámina de los hijos previamente colocada en la explicación de la definición de familia).

«¿Cómo obedecemos a mamá y a papá? Les obedecemos cuando nos piden limpiar el cuarto o botar la basura y lo hacemos inmediatamente y con gozo. ¿Cómo es la obediencia? La obediencia es inmediata, completa y con gozo. Si nuestros padres nos mandan a hacer algo y no cumplimos con estos tres requisitos no estamos siendo obedientes. Cuando tú obedeces traes alegría al corazón de Dios y al de tus padres. La Biblia promete que aquellos que obedecen tendrán una vida buena y larga. El Señor Jesús, como hijo, siempre buscó honrar y obedecer a su Padre en el cielo y a sus padres aquí en la tierra. Él es tu ejemplo a seguir de lo que significa ser un buen hijo».

«Cuando cada miembro de la familia cumple su rol, se están mostrando amor entre ellos mismos. Pero también con su ejemplo muestran lo que es el amor a otros. De igual forma la familia debe mostrar el amor de Dios sirviendo a su comunidad, repartiendo alimentos a los pobres y desamparados, visitando a los ancianos y enfermos, recogiendo la basura, invitando algunas personas a cenar a su casa y hasta adoptando niños que son huérfanos».

CIERRE:

Aplicación/Resumen

«¿Qué muestra la familia de Dios?». (Permitir que los niños piensen y respondan). «La familia muestra el amor de Dios cuando todos sus miembros cumplen con su rol y sirven a la comunidad. ¿Cómo puedes hacer que tu familia sea más como Dios la diseñó? ¿Qué tal si comenzamos contigo? ¿Eres tú un hijo que muestra el amor de Dios al obedecer a tus padres y servir a tus vecinos? Si no es así, esta es una buena oportunidad para arrepentirte y pedirle al Señor que te enseñe a ser un hijo obediente».

«Quizás también te darás cuenta de que necesitas el amor de un padre y una madre. Hoy es una oportunidad de pedirle al Señor que se muestre a tu vida como ese padre y madre amoroso». (Ore con los niños. Recuerde orar también para que Dios llame a algunos de ellos a impactar esta área de la sociedad, la familia).

HOJA DE REGISTRO:

Usted necesitará:

- Hoja de trabajo «Familia» (anexo 20.a).
- Lápices de colores.

Entregue la hoja de trabajo a cada niño. Permita que los niños creen una historia, escribiendo el diálogo dentro de la tirilla cómica en blanco. La historia debe de ser acerca de lo que aprendieron de la familia.

Gobierno

Lección 8

Gobierno

(Clases niños 8-11 años)

Color de la esfera de gobierno: Morado (Violeta).

TIEMPO: 1 hora 30 min.

OBJETIVOS:

- ► Definir lo que es Gobierno.
- ► Promover el autogobierno.
- ► Aprender el propósito de Dios para el Gobierno civil.
- ► Conocer los inicios del Gobierno civil relatado en la Biblia.
- ► Entender lo que es la Justicia.

VOCABULARIO:

- ► Justicia:

Cumplir y administrar la ley; virtud que consiste en dar a cada persona lo que se merece o lo que es debido. (Diccionario Webster, 1828).
Una de las cuatro virtudes cardinales, que inclina a dar a cada uno lo que le corresponde o pertenece. (Diccionario de la Real Academia Española, vigésima segunda edición).

- ► Gobierno:

El flujo de poder o el ejercicio de la autoridad que regula, dirige, controla o restringe. (Diccionario Webster, 1828).

La fuente de toda autoridad, ley y gobierno está fundamentada en Dios y definida en Su palabra. (Dra. Youmans, Material AMO).

IDEA PRINCIPAL:

► El gobierno muestra la justicia de Dios.

ESCRITURA BÍBLICA:

► Romanos 13:2-4: «Así que quien se opone a la autoridad, va en contra de lo que Dios ha ordenado. Y los que se oponen serán castigados; porque los gobernantes no están para causar miedo a los que hacen lo bueno, sino a los que hacen lo malo. ¿Quieres vivir sin miedo a la autoridad? Pues pórtate bien, y la autoridad te aprobará, porque está al servicio de Dios para tu bien. Pero si te portas mal, entonces sí debes tener miedo; porque no en vano la autoridad lleva la espada, ya que está al servicio de Dios para dar su merecido al que hace lo malo».

Contenido de la lección

ACTIVIDAD DE INICIO:

Usted necesitará:

• Una pelota de playa o cualquier otro tipo de balón.

Forme a los niños en un círculo fuera o dentro del salón. Explíqueles que la persona a quien usted lance la pelota tendrá que responder una de las preguntas claves de discusión (estas preguntas deberán explicarse con anterioridad). Luego esa persona lanzará el balón a otro de sus compañeros para que comparta también sus respuestas.

Preguntas claves de discusión:

• ¿En qué gobierno participaste?

• ¿Te parece que ese gobierno reflejaba el carácter de Dios? ¿Por qué?

• ¿Cuál crees que es la solución para ese gobierno?

DESARROLLO:

Usted necesitará:

• Vestuario de juez o policía (para el personaje que dará la definición de Gobierno).

• Rótulo de la palabra de vocabulario «GOBIERNO» (lámina 8.1).

• Un chocolate pequeño para cada niño.

• Mapa de su país (conseguir un dibujo o una lámina con el mapa de su país).

- Mapa del estado o departamento donde usted reside en su país (usted deberá conseguir un dibujo o una lámina con el mapa de su estado o departamento).

- Mapa o foto de su ciudad (conseguir una lámina con el mapa o una foto de su ciudad).

- Lámina de una familia (lámina 15.13).

- Lámina de un individuo (lámina 7.3).

- Lámina de una Biblia (lámina 15.23).

- Telas, sábanas o túnicas para cinco niños que representarán a Moisés, Jetro y al pueblo de Israel (opcional).

- Rótulo de la palabra de vocabulario «JUSTICIA» (lámina 8.2).

- Una balanza (lámina 15.24 para instrucciones).

- Dos pelotas pequeñas blancas rotuladas con la palabra «BIEN» (Las pelotas pueden ser de ping-pong o poliester expandido (foami). Estas deberán ser más pesadas que las rotuladas con la palabra «MAL»).

- Dos pelotas pequeñas negras rotuladas con la palabra «MAL» (Estas deberán ser más livianas que las rotuladas con la palabra «MAL»).

Para conocer la solución a un gobierno tirano y uno anárquico necesitamos conocer qué es el Gobierno y para qué Dios lo creó.

(Entra una persona vestida de juez o de policía para dar la definición):

«El Gobierno es la autoridad que se encarga de controlar las malas actitudes de la gente, de prohibir los malos comportamientos y dirigir a las personas dándole normas. El Gobierno viene de Dios». (Una vez termine, el personaje se retira del salón).

Maestro: «¡Muchas gracias! El Gobierno es el poder que ayuda a la gente a controlar las malas actitudes, prohibiendo los malos comportamientos con leyes y dando a cada quien lo que se merece según su comportamiento. (Mostrar y pegar el rótulo de la palabra de vocabulario «GOBIERNO» en «El mural de palabras» [ver lámina 8.1]).

Maestro: «A todo lugar donde vayas existe gobierno. Existen normas o leyes que les muestran a las personas lo que pueden y lo que no pueden hacer. En la familia hay gobierno ejercido por papá y mamá; en la escuela hay gobierno ejercido por el director y los maestros; y hasta en el parque hay gobierno, pues existen normas que prohíben los malos comportamientos. ¿Has visitado algún otro lugar dónde hay gobierno? ¿Dónde más has visto que existen normas para respetar ese lugar?». (Permitir que los niños piensen y respondan. Ayúdeles a pensar en lugares concurridos por ellos como el centro comercial, las plazas públicas, gimnasios, zoológicos, entre otros).

«Como vemos, toda área que compone nuestra comunidad tiene un gobierno. Pero aún necesitamos entender de dónde viene el gobierno para poder encontrar la solución a los gobiernos equivocados de anarquía y tiranía. Lo más importante es que todo gobierno comienza en el corazón de cada persona, usando la capacidad de dominarnos a nosotros mismos y de controlar nuestros deseos y emociones. A esto se le llama autogobierno. Todo gobierno comienza en tu interior, cuando te controlas a ti mismo. Por ejemplo: Cuando queremos pegarle una patada a un niño, pero nos controlamos, estamos practicando el autogobierno».

Actividad:

(Repártale a cada niño un pedazo pequeño de chocolate para que lo coloque en su lengua con la boca abierta. Dele la instrucción de que no podrán comérselo hasta que suene el pito. Toque el pito antes de que el chocolate se derrita completamente. Para esta actividad coloque una música de fondo alegre. Usted debe animarlos a no dejarse dominar por sus emociones y a resistir el deseo de comerse el chocolate. Una vez terminada la actividad puede preguntar a los niños): ¿Cómo fue su experiencia con el chocolate? ¿Cómo pudieron controlar su deseo de comerse el chocolate?

En esta actividad acabamos de ver que Dios les ha dado la habilidad de controlarse a ustedes mismos. La Biblia dice que el controlarte a ti mismo es más valioso que dominar ciudades completas. (El maestro puede leer Proverbios 16:32: «más vale ser paciente que valiente; más vale dominarse a sí mismo que conquistar ciudades»).

«Todo gobierno surge del auto-gobierno, de controlarte a ti mismo. Esta es la solución para los gobiernos incorrectos como el de la anarquía y tiranía. Un hombre de Holanda llamado Hugo Grotius dijo que: «Una persona no podrá gobernar un país (mostrar el mapa de su país; ej. Colombia), si no puede gobernar un estado (mostrar el mapa de su estado-departamento; ej. Cundinamarca-Colombia), ni puede gobernar un estado, si no puede gobernar una ciudad (mostrar la foto de su ciudad; ej. Bogotá-Colombia), ni puede gobernar una ciudad si no puede gobernar (cuidar o dirigir) su familia (mostrar lámina de una familia [ver lámina 15.13]), ni puede gobernar su familia si no se sabe dominar a sí mismo (autogobierno) (mostrar lámina de un individuo [ver lámina 7.3]). Tampoco se puede autogobernar si no se deja gobernar por Dios (mostrar lámina de una Biblia [ver lámina 15.23])». (Repita esta frase hasta que los niños la entiendan).

«Si una persona no se sabe controlar (gobernar a sí misma) bajo la verdad de Dios, los demás lugares que quiera gobernar (familia, la escuela, etc…) se verán afectados».

«Ya que sabemos dónde se origina el Gobierno, veamos para qué y cómo Dios creó el Gobierno civil. Este Gobierno es el que controla y protege los países y comunidades».

«La Biblia nos enseña que el Gobierno civil representado por los policías, soldados, presidentes y gobernadores comenzó porque el pueblo no estaba controlando sus deseos, o sea, no se autogobernaba. Por eso se tuvieron que asignar autoridades para que dieran consecuencias y castigaran la desobediencia de las leyes. Eso es lo que pasa cuando no nos autogobernamos y no queremos que Dios nos gobierne: el Gobierno civil tiene que crear más y más leyes para controlarnos. Si no nos autogobernamos bajo la Ley de Dios vamos a tener un gobernante tirano que nos controle en todo lo que hagamos. Sólo comeremos lo que el gobierno quiera y aprenderemos lo que el Gobierno quiera; en fin, todo será decidido por el Gobierno. Otra cosa que podría suceder si no nos autogobernamos es la anarquía, la cual ocurre cuando cada persona hace lo que quiere, como bien le parece, eliminando todo tipo de ley y autoridad».

«Imagínate cómo sería la vida sin leyes que te protejan: todos robarían, tendrían la música muy alta hasta bien tarde en la noche sin dejarnos dormir… y todo sería un desastre. Si las personas que gobiernan nuestros países y comunidades (el policía, el juez, el presidente, el alcalde, etc.) no se autogobiernan bajo los principios de Dios, el Gobierno no cumplirá su propósito y viviremos lo que ustedes experimentaron en la actividad que hicimos antes de la clase. Vamos a ver lo que dice la Biblia acerca de cuándo se creó por primera vez el Gobierno de las ciudades (civil) y cómo Dios deseaba que fuera ese Gobierno».

Actividad:

Para esta actividad necesitará pedir cinco voluntarios: Una persona que hará de Moisés, otra que hará de Jetro, y tres más para que hagan del pueblo. (Explique a los niños que usted narrará la historia y ellos deben dramatizarla de acuerdo con lo que van escuchando. De ser posible, vista a los participantes conforme a su personaje).

Narración: «Un día el suegro de Moisés, Jetro, fue a visitar a Moisés a su casa. Cuando Jetro vio que Moisés no podía él solo gobernar a ese gran pueblo, le dijo que buscara dentro de cada familia o tribu algunos hombres que tuvieran un buen carácter. Hombres sabios, que fueran expertos en liderar, que amaran la verdad y que temieran a Dios. Entonces Moisés le dijo al pueblo que escogieran entre ellos líderes con estas cualidades, tal como se lo había aconsejado su suegro Jetro. Moisés les dijo entonces a estos líderes que debían juzgar con imparcialidad al pueblo, o sea, a todos por igual, no importando si eran de Israel o si eran pobres o ricos. El pueblo estuvo de acuerdo y Jetro abrazó a Moisés, y así comenzó el Gobierno civil».

Cuando termine la historia el maestro preguntará: «Según esta historia, ¿quién escogió a los gobernantes?». (Permitir que los niños piensen y respondan). «El Pueblo era el que los escogía pues Moisés no les dijo quiénes debían ser. ¿Cómo debían ser estos hombres que el pueblo debía escoger? ¿Acaso era cualquier clase de persona?». (Permitir que los niños piensen y respondan). «Según la palabra de Dios, debían ser personas con buen carácter, o sea, sabios, que fueran expertos en liderar, que amaran la verdad y que temieran a Dios. Estas son cualidades muy importantes para ser gobernantes justos. En este Gobierno se tomaron en cuenta todas las familias o tribus del pueblo de Israel, y no solamente un pequeño grupo, o las familias más importantes. El Gobierno debía ser imparcial».

«En otras palabras, no debía tener preferencia con nadie». (Muestre a los niños que la historia se encuentra en Deuteronomio 1:9-17 y Éxodo 18:13-27. Permítales que coloreen el versículo de color morado y que llenen la leyenda). «Según esta historia, ¿para qué estaban esos líderes que iban a gobernar?». (Permita que los niños piensen y respondan. Puede ayudarles leyendo Deuteronomio 1:16).

«Los gobernantes eran escogidos para hacer justicia. Esto es lo que muestra el Gobierno: la justicia de Dios». (Mostrar rótulo de la palabra de vocabulario «JUSTICIA» [ver lámina 8.2] y permitir que uno de los niños la pegue en «el mural de las Palabras»).

«¿Recuerdan qué es justicia? (Permitir a los niños contestar basados en la clase del Rey y su Reino I). La justicia es dar a cada quien lo que se merece. Dios es justo porque como dice Proverbios 12:2, le muestra su bondad al bueno, pero le da su merecido al malo y tramposo (Proverbios 12:2). Dios es el primer gobernante porque es el Rey de todo lo creado, y como buen gobernante busca siempre hacer justicia. Así desea que el Gobierno civil (gobierno de la gente) muestre su justicia castigando al malo y protegiendo al bueno».

Maestro: «Podemos pensar en la justicia como una balanza (le mostramos la balanza [Lámina 15.24]). El equilibrio de esta balanza representa la justicia porque si la acción es buena (mostrar una pelota blanca que diga "BIEN" y ponerla sobre un plato de la balanza), las consecuencias serán buenas (mostrar una pelota blanca que diga "BIEN" y ponerla sobre el otro plato de la balanza). Pero si la acción es mala (mostrar una pelota negra que diga "MAL" y ponerla sobre un plato de la balanza), las consecuencias serán malas (mostrar una pelota negra que diga "MAL" y ponerla sobre el otro plato de la balanza). La consecuencia es igual a la acción».

«Como la balanza, la justicia no puede estar desequilibrada; por eso Dios, en su gran amor, nos dejó sus leyes perfectas y justas para promover el bien de otros y el nuestro. Sus leyes están escritas en su palabra (la Biblia), para que al cumplirlas obtengamos buenas consecuencias. ¿Cuáles son algunas de esas leyes?». (Permitir que los niños piensen y respondan con base en los Diez Mandamientos).

Maestro: «Una ley es una advertencia para no hacer lo malo, y así como este pito nos advierte, (nos llama la atención, en este momento suena un pito), la ley de Dios también nos advierte, pero necesitamos escucharla bien».

«Dios creó el Gobierno civil para proteger la vida, la libertad y la propiedad de todas las personas. Por eso cuando una persona roba, ¿qué hace la policía? Lo detiene, le hace un juicio y al demostrar que es culpable lo mete a la cárcel. Así es exaltada la Justicia». (Permita ahora que los niños hablen sobre las cosas buenas que hace la policía).

Maestro: «El Gobierno civil (gobierno de la gente) nos muestra la justicia de Dios cuando al malo se castiga y al bueno se protege. Según esto, ¿la tiranía y la anarquía muestran la justicia de Dios? ¿Por qué?». (Permitir que los niños dialoguen acerca de esto. Verifique si entienden todas las palabras y las usan correctamente). «Para que un gobierno sea bueno debe estar basado en la justicia. Justicia es dar a cada quien lo que se merece».

CIERRE:

Aplicación/Resumen:

Para terminar, recordemos: «¿Qué es el Gobierno? ¿Dónde comenzó el Gobierno?». (Permitir que los niños piensen y respondan). «El Gobierno es el poder que regula o controla los malos comportamientos y actitudes, dando a cada persona lo que se merece. Es importante saber que el gobierno inicia en el corazón de cada persona cuando se controla a sí misma».

Preguntas importantes:

- ¿Cuál es entonces la solución para no tener un gobierno tirano o anárquico?». (Permitir que los niños piensen y respondan). «Que las personas que se autogobiernen bajo Dios».
- ¿Qué nos muestra el Gobierno civil del carácter de Dios? (Permitir que los niños piensen y respondan). «Nos muestra que Dios es justo».

Maestro: «Ahora vamos a aplicar estos conocimientos a tu vida. ¿Eres tú un niño o niña que se controla a sí mismo, y que hace lo bueno y correcto, aunque tus papás o maestros no te estén viendo?». (Lleve a los niños a meditar en sus acciones de desobediencia pues estas les revelan que no son autogobernados). «Has vivido para hacer justicia, y para dar a cada uno lo que se merece? Cuando un amigo se roba un examen o se copia de su compañero y tú lo ves, ¿le informas a tu autoridad, tus padres o maestros, y de esta forma haces justicia?».

(En este momento haga una oración con los niños para que se arrepientan de la injusticia y le pidan a Dios que los ayude a autogobernarse. Pídale a Dios que llame a algunos de los niños presentes, para ayudar a otros en esta área de la sociedad, en el Gobierno).

HOJA DE REGISTRO:

Usted necesitará:

- Hoja de trabajo de Gobierno (anexo 21.b).
- Lápices de colores.

El maestro entregará la hoja de trabajo (ver anexo 21.b) que contiene dos tareas: dibujar el Gobierno civil que refleja la justicia de Dios y definir *Gobierno* y *Justicia*.

Educación

Lección 9

Educación

(Clases niños 8-11 años)

Color de la esfera de la educación: Marrón.

TIEMPO: 1 hora 30 minutos.

OBJETIVOS:

- ▶ Aprender el propósito de Dios para la educación.
- ▶ Entender lo que es la sabiduría.
- ▶ Reconocer la Palabra de Dios como la base de toda buena educación.
- ▶ Conocer que los padres son los encargados principales de la educación.
- ▶ Aprender los pasos básicos para el aprendizaje.

VOCABULARIO:

- ▶ Educación:

Comprende toda serie de instrucciones y disciplinas que intentan alumbrar el entendimiento, corregir el temperamento, formar los hábitos de la juventud y capacitarlo para cumplir con las demás funciones en el futuro. (Diccionario Webster 1828).

- ▶ Sabiduría:

La capacidad de ser sabio; el ejercicio y uso correcto del conocimiento; discernimiento; el uso de los mejores medios para lograr los mejores resultados. (Diccionario Webster 1828).
El conocimiento que el amor usa para producir lo que es bueno. (Charles Finney).

IDEA PRINCIPAL:

▸ La educación nos muestra la sabiduría de Dios.

ESCRITURA BÍBLICA:

▸ 2 Timoteo 3:16-17: «Todo lo que está escrito en la Biblia es el mensaje de Dios, y es útil para enseñar a la gente, para ayudarla y corregirla, y para mostrarle cómo debe vivir. De ese modo, los servidores de Dios estarán completamente entrenados y preparados para hacer el bien».

Contenido de la lección

ACTIVIDAD DE INICIO:

Usted necesitará:

- Un dado gigante (puede ser uno por grupo pequeño o uno para toda la clase [ver anexo 22.a para instrucciones]).
- Tizas de colores o cartulina de colores.
- Preguntas de conocimiento para el juego (anexo 22.b).

La clase comenzará con un juego de mesa gigante que constará de un tablero con 12 casillas dibujadas en el piso, formando líneas verticales (las casillas pueden estar dibujadas con anterioridad o los niños pueden dibujarlas).

Los niños actuarán como «fichas» que se moverán de acuerdo al número que saque el dado gigante (puede haber un tablero con un dado para cada grupo pequeño o uno general para toda la clase.)

El juego consiste en que cada jugador deberá contestar correctamente una de las preguntas que hay escritas en una caja para poder avanzar a la casilla que indique el dado. Estas serán preguntas de conocimiento general como nombres de ciudades, capitales, presidentes, ríos, etc. Gana la persona que primero llegue a la meta (ver anexo 22.b para las preguntas. Una vez pasados cinco minutos de juego, el maestro debe explicar la actividad, aunque nadie haya llegado a la meta).

Maestro: «Este juego estuvo muy bueno. ¿Cuántos llegaron a la meta? ¿Se les hizo fácil llegar? ¿Qué se requería para poder llegar a la meta?» (Permitir que los niños piensen y respondan).

- Para poder llegar a la meta y ganar el juego, era necesario contestar unas preguntas que requerían de mucho conocimiento. En otras palabras, necesitabas saber algo (estar educado) para poder responder las preguntas y ganar el juego.

DESARROLLO:

Usted necesitará:

- Rótulo de la palabra de vocabulario «EDUCACIÓN» (lámina 9.2).
- Rótulo de la palabra de vocabulario «SABIDURIA» (lámina 9.3).
- Rótulos de la palabra «CONOCIMIENTO» (lámina 15.38).
- Ecuación de la sabiduría: (Cada palabra de la ecuación estará representada con un dibujo.

Un bombillo o cerebro + un corazón = una perla dentro de una ostra).

- Lámina de una bombilla (lámina 15.26).
- Lámina de un corazón (lámina 1.3).
- Lámina de un signo de suma (lámina 15.27).
- Lámina de un signo de igual (lámina 15.28).
- Lámina de una perla dentro de una ostra (lámina 15.29.

Actividad de los hermanos Wright:
- **Opción A** (presentar video de los hermanos Wright):
- Una computadora.
- Proyector o televisor (con todos los cables necesarios para conectarlo a la computadora).
- Bocinas.
- Video: Los sabios- Los Hermanos Wright 1/2 y 2/2 (descargado previamente de YouTube). Enlace:
http://www.youtube.com/watch?v=eU9S0IdP5Oo
http://www.youtube.com/watch?v=o3xlYllKag0&feature=related

- **Opción B** (Leer la historia y mostrar láminas de los hermanos Wright). Historia con las láminas de los hermanos Wright (anexo 22.c).
- Galletas dulces con un poco de miel por encima (una por niño, preferiblemente que sean de vainilla).
- Una jarra transparente con jugo o agua con colorante.
- Un vaso transparente grande.
- Un vaso transparente pequeño.
- Rótulo de la palabra «Investigar» (lámina 15.30).
- Rótulo de la palabra «Razonar» (lámina 15.30).
- Rótulo de la palabra «Relacionar» (lámina 15.30).
- Rótulo de la palabra «Registrar» (lámina 15.30).

Maestro: «De esta misma manera, para ser útiles en la vida y lograr lo que Dios desea con cada uno de nosotros, es necesario que nos eduquemos. Hoy vamos a aprender que la educación (la escuela) es necesaria para el progreso de las personas y también de un país». (Mostrar el rótulo de la palabra de vocabulario «EDUCACIÓN» [ver lámina 9.2]). Pídale a un voluntario que la pegue en «El mural de las palabras»).

«¿Qué es lo primero que viene a tu mente cuando escuchas la palabra educación?». (Permitir que los niños piensen y respondan. Escriba sus respuestas). La educación es mucho más que ir a la escuela, hacer las tareas o memorizar datos. Según la Biblia, «la educación incluye todas las instrucciones (enseñanzas) que traen claridad a nuestro entendimiento (mente), que corrigen nuestro temperamento (nuestra forma de ser), que forman nuestros hábitos (nuestras costumbres) y que nos capacitan (nos preparan) para poder cumplir con nuestras funciones (nuestras responsabilidades) en la vida. (Compare esta definición con lo que los niños mencionaron). (Lea 2 Timoteo 3:14-17). «¿Cómo compara usted este pasaje de la Biblia con la definición que acabamos de escuchar acerca de lo que es la educación?».

(Permitir que los niños piensen y respondan. Ayúdeles a ver cómo se repiten los mismos propósitos de la educación).

«Tanto la definición del diccionario como lo que dice la Biblia explican lo que es ser «educados» y nos muestra que toda buena educación debe comenzar por la palabra de Dios». (Explíqueles que el diccionario que se utilizó para sacar la definición de la palabra «Educación» fue el de Noah Webster 1828, y que él era un cristiano interesado en que EEUU aprendiera esta educación basada en los principios bíblicos).

«Las palabras de Dios son más dulces que la miel. (Dé una galleta con miel a cada niño). Así como esta galleta es dulce, así mismo es la palabra de Dios». (Pregúnteles a los niños si pueden ver la educación como algo agradable y dulce que pueden hacer para alegrarse. Motívelos a tener la visión de Dios para la educación y la vida de aprendizaje).

«La educación no debe ser algo aburrido. A través de ella recibimos todo lo que necesitamos para tener buenas actitudes y hacer siempre un trabajo de excelencia. Por medio de la educación podemos crear y producir nuevas cosas. La educación nos debe hacer sabios (fuertes en nuestra mente) y de carácter cristiano (que no mienten, son responsables, hacen sólo el bien y se autogobiernan)».

«Recuerden que la educación no es sólo para conocer algunos datos. Para ser verdaderamente educados necesitamos aplicar todo lo que aprendemos y para poder cambiar nuestro modo de vivir. Si escuchamos mucha información, pero no la ponemos en práctica, no estamos siendo personas educadas. Por ejemplo, si aprendes que una de las maneras de amar a Dios es demostrar que te autogobiernas, al recoger tu habitación, y no lo haces, ¿estás aplicando el conocimiento y siendo sabio? NO. Por lo tanto, no eres una persona educada».

«Cuando escuchamos esta verdad y comenzamos a organizar nuestras habitaciones, estamos aplicando el conocimiento y estamos siendo sabios». (Diga a los niños que mencionen algunas cosas nuevas que han aprendido. Enfatice que Dios se alegra cuando ponemos en práctica lo que sabemos porque estamos siendo sabios).

Maestro (continúa): «La educación nos muestra la sabiduría de Dios». (Muestre el rótulo de la palabra «SABIDURÍA» [ver lámina 22.2]. Permita que un voluntario la pegue en «el mural de las Palabras»). «¿Recuerdan lo que es la sabiduría? (Permitir que los niños piensen y respondan). La sabiduría consiste en aplicar lo que conocemos con amor. Eres sabio cuando usas tu conocimiento para ayudar y servir a los demás».

«Toda sabiduría viene de Dios. Él es la persona más educada del mundo y con el mayor conocimiento que pueda existir, y Él ha decidido aplicar todo lo que sabe para hacer lo que es bueno, lo que es amoroso. Al crear la familia, Dios la hizo de tal manera que cuando un bebé nace puede tener unos padres que lo amen, le den todo lo que necesita y lo protejan. Imagínate un bebé sin padres. Dios es totalmente Sabio, ¿no crees? ¿En qué otras cosas podemos ver que Dios utilizó su conocimiento perfecto para buscar el bien?». (Permitir que los niños piensen y respondan).

«La Creación es otro ejemplo de la sabiduría de Dios, quien usó su inteligencia para hacer la tierra con animales, árboles, ríos y montañas, para que nosotros pudiéramos vivir bien, alimentarnos y trabajar. ¡Qué sabio es Dios!».

El maestro resume:

«Como pueden ver, la sabiduría no consiste en acumular conocimiento sino en aplicar (utilizar) el conocimiento que aprendemos en nuestras escuelas, al leer libros o la Biblia, para hacer cosas buenas como Dios lo ha hecho». (Repase la definición de sabiduría utilizando la ecuación: conocimiento + amor = sabiduría [ver láminas 9.1, 15.29]. «La palabra de Dios dice que la sabiduría es mejor que una perla preciosa. Para que una perla se forme requiere de mucho trabajo, dolor y tiempo. Lo mismo necesitamos para convertirnos en personas sabias (mucho trabajo, dolor y tiempo), pero al final obtenemos algo mucho más valioso que cualquier cosa deseable. ¿Podrías mencionar algunas cosas deseables para los niños? ¿Cuáles son las cosas que la gente desea o quiere más?». (Permitir que los niños piensen y respondan). «La sabiduría es mucho más importante y de más valor que todas esas cosas juntas. Lo único que te puede hacer sabio es la educación basada en la verdad».

«Podemos ver a Dios actuando en la educación porque es Él quien nos da el conocimiento para hacer el bien, aunque muchas personas no lo usen para esto. Hay personas que son muy inteligentes pero no son sabias porque usan lo que saben para hacer el mal. Esto NO es lo que Dios quiere. ¿Recuerdan al científico en el drama de bienvenida? ¿Al principio, cómo era él? Y cuando el planeta de los «Sibots» comenzó a hacer el mal, ¿cómo cambio?». (Mostrar a los niños que al principio el científico era sabio porque usaba lo que conocía para traer bienestar a su planeta; pero luego, aunque era inteligente, no fue sabio porque usó el conocimiento para hacer el mal).

«¿Cuántos de ustedes han viajado en avión?». (Permita que los niños piensen, respondan y compartan a dónde fueron en avión). «¿Sabes quién inventó el primer avión con motor?». (Permita que los niños piensen y respondan). «Los hermanos Wright. Les voy a contar un poco acerca de estos hermanos que utilizaron la sabiduría para crear un invento que nos ha beneficiado a todos». (Opción A: presentar un video corto sobre la historia y los logros de los hermanos Wright [ver lista de materiales para enlace en Internet]; Opción B: leer historia con láminas de los hermanos Wright [ver anexo 22.b]).

«¿Quiénes fueron los hermanos Wright? ¿Cuál fue su gran logro? ¿Cómo trajo beneficio a nuestra sociedad?». (Permitir que los niños piensen y respondan). «Vemos que estos hermanos utilizaron su conocimiento y su inteligencia para traer un bien a nuestro mundo. Gracias a sus logros, podemos llegar a otros países de una manera más rápida y segura. ¿Saben cuál fue la explicación de su padre acerca de las características de sus hijos Wilbur y Orville que los condujo al invento del avión con motor? Su padre siempre mencionó el efecto positivo que tuvo la Biblia en la educación de sus hijos. Los hermanos Wright usaron los dones de Dios: la inteligencia, la experiencia y el ingenio para desarrollar su avión. Estudiando la creación de Dios (específicamente el vuelo de los pájaros) ellos pudieron desarrollar un avión que realmente funcionara. Tú puedes llegar a ser como los hermanos Wright si amas la educación y la sabiduría».

En resumen:

«Hasta aquí hemos aprendido que la educación trae claridad a nuestras mentes, nos corrige, nos forma y nos equipa para poder cumplir con nuestras funciones en el futuro. También hemos visto que la educación viene de Dios y que nos muestra su sabiduría. Pero, ¿saben a quién le dio Dios la responsabilidad de educarnos?». (Permitir que los niños piensen y respondan).

«A los padres. Esto se puede ver en Deuteronomio 6:6-7. Ellos son los responsables de enseñar a sus hijos, o sea, de educarlos y sobre todo, educarlos en la Verdad de Dios». (Lea con los niños Deuteronomio 6:6-7).

«En este versículo de Deuteronomio vemos dos cosas importantes: Primero, que los padres son los encargados de la educación. No es el Gobierno. Hoy son pocos los padres que reconocen que son responsables de educar a sus hijos. Piensan que el responsable es el Gobierno, quien ha decidido «enseñar cosas contrarias a la verdad y a Dios». ¿Puedes pensar en algunas cosas que enseña el Gobierno que son contrarias a la verdad?». (Permitir a los niños opinar. Ayúdeles a pensar en las falsedades que enseñan algunas escuelas como la evolución, la eutanasia, el aborto, el comunismo, el homosexualismo, el materialismo, etc., etc.). «No es el Gobierno de un país el que nos debe educar. Cuando el Gobierno toma el lugar de papá y mamá se destruye la familia y esto dañará nuestro país. Segundo, que sólo podemos enseñar a otros lo que aprendemos. Los padres deben enseñar primeramente lo que está en sus corazones».

Maestro: «Niños, sus padres les deben enseñar a ustedes lo que ellos conocen, y ayudarles a actuar con sabiduría. Pero también ustedes pueden enseñar a otros lo que han aprendido y aplicado a sus propias vidas». (Para demostrar este principio puede utilizar una jarra con jugo o agua con colorante, un vaso grande y un vaso pequeño. Explique a los niños que el líquido de la jarra representa el conocimiento y que el vaso grande y el vaso pequeño representan el intelecto de las personas. Vierta parte del líquido de la jarra en el vaso grande, pida un voluntario que sostenga el vaso pequeño, y muestre que usted sólo puede dar conocimiento [verter el líquido en el vaso del otro] si su vaso es lleno de conocimiento y si este ha sido aplicado a su vida).

«Quizás te preguntes cómo puedes aprender más para llegar a ser sabio. Por eso me gustaría darles unos pasos que pueden seguir para aprender cualquier tema. Estos pasos se conocen con el nombre de las **4R** porque en inglés cada palabra inicia con la letra **R**». (Antes de comenzar la clase, pegue los rótulos con los nombres de las **4R** [ver láminas 15.30] debajo de las sillas de algunos niños. Diga a los niños que busquen debajo de sus asientos para ver si tienen uno de los pasos. Una vez los encuentren, péguelos en la pared en el orden correspondiente).

«El primer paso es investigar (Research). Cuando quieres aprender un tema tienes que investigar la definición, leer varios libros del tema, buscar en Internet, etc.».

«El segundo paso es razonar (Reason). Cuando razonamos estamos ordenando las ideas en la mente pensando en lo que quieren decir las cosas que estamos aprendiendo».

«El tercer paso es relacionar (Relate). Relacionamos cuando buscamos cómo aplicar el conocimiento a la vida diaria. Y el cuarto paso es registrar (Register). Cuando registras, escribes todo lo que has aprendido para que no se te olvide y puedas aplicarlo más adelante». (Diga a los niños que después de la clase aprenderán cómo poner en práctica estos pasos para el aprendizaje y así convertirse en personas sabias.)

CIEERRE:

Aplicación

«La educación nos muestra la sabiduría de Dios. Él quiere que todos sus hijos sean personas educadas y sabias, que apliquen todo el conocimiento que poseen para servir y ayudar a otros en amor. ¿Te deleitas en estudiar, aprender, educarte y en enseñar a otros?». (Permitir que los niños piensen y respondan).

«Dios también quiere que aprendamos la verdad, (su Palabra) y cambiemos nuestro mal comportamiento. Ahora les pregunto: ¿han usado lo que saben para hacer el bien? ¿Tienen ustedes un buen comportamiento y una buena actitud? Vamos a tomar un tiempo para orar a Dios y pedirle que nos perdone si no hemos sido agradecidos por la educación, por el aprendizaje y por no aplicar la sabiduría. Pidámosle que nos ayude a ver la educación como Él la ve, y que nos haga sabios desde nuestra niñez».

«Finalmente vamos a orar para que Dios nos revele a quién está llamando para ser buenos maestros y madres o padres, quienes traigan transformación a esta área de la sociedad». (Ore con los niños y deles un tiempo para escuchar una respuesta de Dios).

HOJA DE REGISTRO:

Usted necesitará:

- Hoja de registro de educación (anexo 22.d).
- Lápices de colores.

En la hoja de educación dibujarán la ecuación de la sabiduría y mencionarán un ejemplo de cómo pueden aplicar el conocimiento con amor. Finalmente definirán en sus propias palabras lo que es la educación según Dios.

Ciencia

Lección 10

Ciencia

(Clases niños 8-11 años)
Color de la esfera de la ciencia: Azul.

TIEMPO: 1 hora 30 min.

OBJETIVOS:

- ▸ Conocer el propósito de Dios para las ciencias.
- ▸ Entender lo que es orden y poder.
- ▸ Estudiar diferentes áreas de las ciencias y los atributos que muestran de Dios.

VOCABULARIO:

- ▸ Ciencia:

Conocimiento relacionado al mundo físico y sus fenómenos, la naturaleza, constitución y fuerzas de la materia, las cualidades y funciones de los tejidos vivos, etc.; también se le conoce como ciencia natural y ciencias físicas. (Diccionario Webster, 1913).
Las que tienen por objeto el estudio de la naturaleza, como la geología, la botánica, la zoología, etc. A veces se incluyen la física, la química, etc. (Diccionario de La Real Academia Española, vigésima segunda edición). (Parafraseado del los autores).

- ▸ Orden:

Disposición regular o arreglo metódico de las cosas. (Diccionario Webster, 1828).
Colocación de las cosas en el lugar que les corresponde. Serie o sucesión de las cosas. (Diccionario de La Real Academia Española, vigésima segunda edición).

- ▸ Poder:

Habilidad de actuar; la facultad de hacer algo; capacidad de producir un efecto sea físico o moral; potencia; fuerza. (Diccionario Webster, 1913).

Tener expedita la facultad o potencia de hacer algo. (Diccionario de La Real Academia Española, vigésima segunda edición).

IDEA PRINCIPAL:

> ► Las ciencias muestran el orden y el poder de Dios.

ESCRITURA BÍBLICA:

> ► Salmo 104:24: «¡Cuántas cosas has hecho, Señor! Todas las hiciste con sabiduría; ¡la tierra está llena de todo lo que has creado!».
>
> ► Romanos 1:20: pues lo invisible de Dios se puede llegar a conocer, si se reflexiona en lo que Él ha hecho. En efecto, desde que el mundo fue creado, claramente se ha podido ver que Él es Dios y que su poder nunca tendrá fin. Por eso los malvados no tienen disculpa».

Contenido de la lección

ACTIVIDAD DE INICIO:

Usted necesitará:

- Lámina de la rueda de la ciencia (lámina 10.3).
- Rótulo de la palabra de vocabulario «CIENCIA» (lámina 10.2).
- Una bata de laboratorio para el maestro o algún accesorio que lo haga lucir como científico.
- 6 Batas plásticas desechables para cada niño.

(El maestro deberá estar vestido como un científico. Una vez que los niños entren al salón, repártale a cada uno una bata de laboratorio, la cual puede ser hecha con bolsas plásticas).

Maestro: «Buenos días niños. Para comenzar me gustaría que cada uno busque en la naturaleza, fuera del salón, algo que le llame la atención, pero que sea creado por Dios». (Para esta actividad reparta un vaso plástico a cada niño dónde colocará la planta o animal encontrado. Permita unos 5 a 10 minutos para esta actividad). Luego pregunte: «¿Qué encontraron? ¿Por qué te llamó tanto la atención?». (Permita que varios niños compartan sus respuestas). «Todos sus especímenes son muy interesantes». (Opcional: puede mostrar a los niños fotos o un video que les enseñe más cosas interesantes de la Creación, porque refleja el orden y el poder de Dios). «Para poder estudiar todo lo que ustedes encontraron necesitamos las ciencias». (Mostrar el rótulo de la palabra de vocabulario «CIENCIA» [ver lámina 10.2)] y permitir que un voluntario lo coloque en el mural de las palabras).

DESARROLLO:

Usted necesitará:

- Un bolso grande donde el maestro pueda llevar las siguientes láminas:

- Lámina de un sol (lámina 10.4).
- Lámina de un rayo (lámina 15.31).
- Lámina de un mapamundi (lámina 10.6).
- Lámina de una hoja de un árbol (lámina 10.8).
- Lámina de un ojo humano (lámina 10.8).
- Rótulo de las palabras de vocabulario: «ORDEN Y PODER» (láminas 10.1).
- Dos imanes.
- Frutas para repartir a los niños (media fruta para cada uno, según la cosecha de la temporada: mangos, naranjas, bananos, etc.).
- Una flor y una hoja de un árbol.
- Cinta adhesiva.

Maestro: «La ciencia es el estudio del mundo físico, de la Creación. Las ciencias se encargan de descubrir y analizar todo lo que Dios creó: la materia, las plantas, los animales, el ser humano, las leyes físicas, etc. Así podemos aplicar este conocimiento para el beneficio de todas las personas. Por ejemplo, cuando la gente practica la medicina o crea inventos como el avión o las computadoras, están usando la ciencia con sabiduría. Hacer ciencia es una respuesta al mandato que Dios nos dio en Génesis 1: 28 diciendo: "…y les dio su bendición: Tengan muchos, muchos hijos; llenen el mundo y gobiérnenlo; dominen a los peces y a las aves, y a todos los animales que se arrastran"».

«La ciencia nos revela el orden, la sabiduría y el poder de Dios». (Mostrar rótulo de las palabras de vocabulario «ORDEN y PODER» (ver lámina 10.1. Permitir que un voluntario lo coloque en el muro de las palabras).

Opcional: El maestro puede mostrar fotos o un video donde se vea claramente el orden y el poder de Dios en la creación. Por ejemplo: La secuencia de Fibbonacci, el orden y el diseño de una planta, el poder de las Cataratas del Niágara, el poder de un relámpago, etc. Los niños deben responder con sus propias ideas).

«¿Qué es orden? Es la organización en secuencia de las cosas o la organización de las cosas en el lugar que les corresponde según el propósito de Dios».

(Ahora puede organizar una competencia entre dos voluntarios donde tienen que colocar en orden alfabético de 10 a 20 palabras previamente escogidas por usted. El primero en ordenar las palabras será el ganador. Al terminar la actividad evalúe con los niños si las palabras están bien ordenadas. Muestre cómo el orden ubica cada parte en el lugar que le corresponde. Pueden ordenar letras, palabras, objetos, ideas, etc.).

«¿Qué es el poder? Es la capacidad de hacer o producir algo; es también una fuerza. Nuestro Dios es un Dios de orden y de mucho poder. Estas características de Dios se hacen claramente visibles en la Creación, cuando hacemos uso de las ciencias para estudiarla».

«Romanos 1:20 dice: "Porque las cosas invisibles de Él, su eterno poder y deidad, se hacen claramente visibles desde la creación del mundo, siendo entendidas por medio de las cosas hechas, de modo que no tienen excusa"». (Permitir que los niños subrayen con el color azul el pasaje bíblico y llenen la leyenda).

«Para los judíos, la Creación era la primera revelación de Dios. Por eso el rey Salomón dedicó tiempo a estudiarla. En 1 Reyes 4:33 dice que Salomón habló sobre los árboles, el ganado, las aves, los reptiles y los peces. Es fácil concluir que Dios es el creador de todo lo que existe. De su decisión inteligente, llena de orden y poder, vino el Universo en el que vivimos: surgieron las galaxias, los planetas, los átomos, el mar, los animales; en fin, todas las cosas. Y todo esto, Dios lo hizo para nuestro bien. Él desea que nosotros descubramos la manera en que funcionan las cosas que Él creó para desarrollar algunos inventos (tecnología) que sean de beneficio general. Este es el propósito de las ciencias: además de mostrar el orden y el poder de Dios, es permitirle al ser humano fabricar cosas que traigan beneficio a la sociedad. ¿Podrías pensar en algunas tecnologías que la ciencia ha creado para nuestro beneficio?». (Permitir que los niños piensen y respondan).

«Existen varias ramas de las ciencias. Cada una de estas revela las sabias decisiones que Dios toma para nuestro bien. Vamos a explorar algunas. Hoy nos vamos de excursión». (La clase se realizará en el campo, llevando la rueda de la ciencia [que se hará en una cartulina completa, siguiendo el ejemplo en anexo 23.a, para que sea fácil de movilizar]. Los niños trabajarán cada una de sus ramas por estaciones, anexando el dibujo que corresponda [si no se puede sacar a los niños, se dividirá el salón de acuerdo con el número de espacios y se decorará en forma de selva]).

«Comencemos con la astronomía (llevarlos a un área abierta y pedirles que miren al cielo). La astronomía es la ciencia que estudia el universo, sus estrellas, planetas y galaxias (señalar este espacio en la rueda). La palabra de Dios dice en el salmo 147:4-5 que "Él cuenta el número de las estrellas y a todas ellas las llama por sus nombres. Grande es el Señor nuestro, y de mucho poder; y su entendimiento es infinito". Al ver el universo podemos ser testigos de la grandeza de nuestro Dios».

«El cielo tiene un sistema solar que se compone de ocho planetas, muchas lunas, muchos satélites y el sol (pegue lámina del sol. [Ver lámina 10.4]). El sol es la estrella más grande que hay cerca de la tierra, y aunque lo vemos tan pequeño, es 1.300.000 veces más grande que la tierra. Además, es la principal fuente de energía para nuestro planeta; su luz sirve como alimento para las plantas que producen el oxígeno que respiramos y con el cual vivimos». (Pedir a los niños que respiren y boten el aire, explicándoles que lo que respiran es el oxígeno que producen las plantas por la luz del sol).

«¡Cuán grande, poderoso y ordenado es Dios que ha hecho todas estas cosas para nuestro beneficio! Piensa por un momento ¿qué podrías hacer tú con el conocimiento del sistema solar para ayudar a las personas? ¿Podrías estudiar las estrellas y saber por qué la marea sube o baja, cómo funciona la energía del sol y cuánto potencial podemos usar del cielo para crear objetos que ayuden a las personas?».

(Lleve a los niños a otro lugar donde haya piedras o tierra). Dígales que la ciencia no sólo estudia el cielo sino las leyes de todo lo que tiene peso y ocupa espacio, como las piedras. A este estudio se le llama la física (mostrar en la rueda). «Dios buscó el bienestar de toda la creación al crear leyes físicas que muestran su poder. Estas leyes nos ayudan a entender de dónde viene el calor, la luz y el magnetismo como el que tienen los imanes (de tener disponible dos imanes, mostrarles cómo se atraen entre sí). También la electricidad. ¿Alguna vez has visto un relámpago?». (Pegar lámina de un relámpago) [ver lámina 15.31]). «Pues la electricidad que hay en un sólo relámpago puede mantener encendido un foco por 90 días. ¿Te imaginas que un relámpago pueda hacer algo como esto?».

«Pero hay una ley que muestra realmente el Poder de Dios y su amor para con la humanidad. Esta es la ley de gravedad. Ella hace que cada planeta se mantenga en la posición correcta, que la

Tierra esté en su lugar y que cada ser humano se mantenga de cierto modo «pegado» a la Tierra. También, gracias a esta ley, podemos estar seguros de que nuestro planeta no se acercará demasiado al sol como para quemarnos, ni se alejará demasiado como para congelarnos. Piensa por un momento, ¿qué podrías hacer tú con el conocimiento de estas leyes para ayudar a otras personas? Podrías construir máquinas de energía solar para la gente pobre, hacer medicina usando el magnetismo y hacer sistemas de electricidad a través de la energía de los truenos».

(Lleve a los niños a un árbol frutal). «Bueno, hemos aprendido mucho sobre la grandeza y el poder de Dios. Pero hay otra rama de las ciencias que vamos a explorar: se llama la geografía». (Muestre en la rueda el área de la geografía).

«La geografía es la ciencia que estudia la tierra, su clima, la vegetación, las diferentes sociedades, entre otros. Esta rama de las ciencias nos muestra a Dios como proveedor, porque la Tierra es la casa que Dios nos hizo para vivir y en ella nos ha dado todo lo que necesitamos para tener comida, vestido y refugio. Nos ha dado plantas, animales y personas con las cuales compartir. Además, Dios ha sido sabio al crear el planeta Tierra y hacerlo con tanto orden».(Pegar lámina del mapa del mundo [ver lámina 10.6]).

«En este planeta, Dios nos proveyó todos los minerales y nutrientes necesarios para que podamos sembrar plantas y así alimentarnos. Nos proveyó una tierra organizada dónde hacer casas y sembrar árboles como éste- del que podemos comer su fruta». (Señale el árbol frutal dónde se encuentran. Reparta media fruta a cada niño para que la coma [esta puede ser según la cosecha que haya de temporada: mangos, naranjas, bananos, etc.).

 «Piensa por un momento qué podrías hacer tú usando lo que Dios nos proveyó en la Tierra para ayudar a otras personas. Podrías plantar árboles frutales para los diferentes climas y construir casas, barcos, etc., con los diferentes materiales que produce la tierra, como la madera. También podrías conocer las diferentes fuentes de agua y dónde se encuentran para así proveer agua potable a las personas que no la tengan».

(Permita por un momento que los niños miren el árbol, lo toquen y piensen en las partes que tiene, luego pídales que miren bien sus hojas y piensen en su forma, color y tamaño).

«Otra rama de las ciencias es la biología (mostrar en la rueda la parte de la biología), donde podemos ver el orden en todos los seres creados por Dios. La biología es la ciencia que trata con los seres vivos como las plantas, los animales y los seres humanos. Desde las venas de una hoja hasta en la forma de las plumas de los pájaros, vemos un maravilloso orden. Si pudiéramos mirar la hoja de un árbol (pegar lámina de una hoja [ver lámina 10.7]) a través de un microscopio, nos sorprenderíamos mucho porque fue diseñada con un orden perfecto. Dios fue poderoso al dar orden a las venas de las hojas de los árboles, lo cual les permite mantener su forma y así poder llevar el alimento que la planta necesita para darnos oxígeno. Piensa por un momento ¿qué podrías hacer tú con el conocimiento de las plantas para ayudar a las personas? Podrías hacer medicinas, champú, jabones, y muchas cosas más».

(Siente a los estudiantes en un lugar plano). «Ahora, vamos a ver la última rama de las ciencias: la anatomía humana, que es la ciencia que estudia el cuerpo humano y su funcionamiento. Nosotros, los seres humanos, somos la mejor obra de Dios. Dios creó cada parte de nuestro cuerpo, la diseñó y luego nos la dio de manera maravillosa para vivir en este mundo. Como nuestros ojos (pegar lámina del ojo, [ver lámina 10.8]), que reflejan la perfección de Dios (pedir a los niños que se miren unos a otros sus ojitos sin tocarlos). Nuestros ojos son mejores que cualquier cámara fotográfica porque pueden analizar todos los colores y ajustarse a la luz. Imagínate una mano sin dedos o los dedos sin las uñas o una cabeza sin ojos; esto nos limitaría».

«En esta perfección de Dios vemos una vez más su inmenso orden, y su sabiduría porque nos diseñó un cuerpo perfectamente conectado entre sí con un funcionamiento excelente. Piensa por un momento qué podrías hacer tú con el conocimiento de cómo es y cómo funciona el cuerpo humano para ayudar a las personas. Con el estudio de la anatomía podrías ayudar a sanar a muchos y crear mejores instrumentos o aparatos para las personas que les falta alguna parte en su cuerpo». (Puede volver al salón de clases o proseguir la parte de la aplicación afuera del salón).

CIERRE:

Aplicación/Resumen.

«La ciencia muestra el orden y el poder de Dios a medida que estudia y descubre el diseño de la Creación. Con las diferentes áreas de la ciencia podemos entender que Dios nos proveyó un universo y un planeta ordenado, perfecto, grande, lleno de poder y hecho con toda su sabiduría para que nosotros como seres humanos pudiéramos desarrollarnos a nuestro máximo potencial».

«Nosotros somos los encargados de cuidar la Tierra y de usar todo lo que sabemos de ella para crear alimentos, medicinas y objetos que ayuden a las personas a tener una vida mejor y buena salud. Cuando hacemos esto estamos utilizando las ciencias para mostrar la sabiduría y el poder de Dios, porque las usamos como Él lo pensó, para el bien de todos y para traer su orden a la Tierra».

«¿Qué podrías hacer ahora para mostrar el orden y el poder de Dios en la manera en que haces uso de la creación y en tus estudios de ciencia en la escuela?». (Lleve a los niños a ver que ellos pueden comenzar por ser buenos mayordomos de la tierra que Dios nos ha dado. También ellos pueden defender el verdadero propósito de las ciencias cuando en la escuela le enseñen cosas contrarias a la verdad bíblica. Aproveche la oportunidad para animarlos a que estén pendientes a la voz de Dios, pues Él tal vez esté llamando a varios de la clase, para en un futuro impactar esta área de la sociedad. Cierre con una oración).

HOJA DE REGISTRO:

Usted necesitará:

- Hoja de trabajo de ciencia (anexo 23.b).
- Revistas viejas para recortar.
- Marcadores.
- Pega blanca (Pegante).
- Cinta adhesiva (Cinta de enmascarar amarilla).
- Tijeras.

Por medio de recortes de revista deben llenar la rueda de las ciencias (Hoja de trabajo de ciencia [ver anexo 23.b]) utilizando símbolos diferentes a los utilizados en la clase, pero relacionados a cada rama de la ciencia presentada en la rueda.

Arte

Arte

(Clases niños 8-11 años)

Color de la esfera del arte: Rosado.

TIEMPO: 1 hora 30 min.

OBJETIVOS:

- ► Aprender el propósito de Dios para las artes.
- ► Entender lo que es la belleza y cómo esta se relaciona a la verdad.
- ► Conocer la importancia de las leyes de estética en el arte.
- ► Distinguir lo bello de lo no bello.
- ► Conocer la relación entre el deporte y las artes.

VOCABULARIO:

- ► Arte

La disposición o modificación de las cosas haciendo uso de las habilidades para lograr el propósito intencionado (Diccionario Webster, 1828).

- ► Bellas artes

Cada una de las que tienen por objeto expresar la belleza, y especialmente la pintura, la escultura, la arquitectura y la música. (Diccionario de la Real Academia Española, vigésima segunda edición).

- ► Belleza

Montaje de elegancia o montaje de propiedades que complacen el ojo, el oído, el intelecto, la estética y la moral. (Diccionario Webster, 1913).

La que se produce de modo cabal y conforme a los principios estéticos, por imitación de la naturaleza o por intuición del espíritu. (Diccionario de la Real Academia Española, vigésima segunda edición). (El maestro explicará las definiciones).

IDEA PRINCIPAL:

▶ Las artes muestran la belleza de Dios.

ESCRITURA BÍBLICA:

▶ Génesis 1:1: «En el comienzo de todo, Dios creó el cielo y la tierra».
▶ Eclesiastés 3:11ª: «Él, en el momento preciso, todo lo hizo hermoso...».

Contenido de la lección

ACTIVIDAD DE INICIO:

Usted necesitará:

Opción No. 1:
- Videos y/o imágenes de buen arte y deportes.
- Proyector.
- Sonido.

Opción No. 2:
- Una hoja de papel negro (para cada niño).
- Tizas blancas o de colores (suficientes para que los niños compartan).
- Una fotografía sencilla de algún elemento de la creación (un árbol, el mar, un lago, etc.).
- Música clásica o instrumental.
- Radio o sonido.

Opción No.1: Mostrar videos y/o imágenes de «buen arte» (baile, pintura, música instrumental, etc.) y celebración (como lo es el deporte) preferiblemente con audio. Al terminar pregunte a los niños qué observaron y qué pensamientos y sensaciones surgían al ver las imágenes y al escuchar la música.

Maestro: Lo que acabamos de ver, incluyendo los deportes, son expresiones artísticas. Pero, ¿de dónde viene esa habilidad de crear y disfrutar del arte?». (Permitir que los niños piensen y respondan).

Opción No.2: Dar a los niños papel de construcción negro con tizas blancas y/o de colores. Permitirles que hagan un dibujo, inspirados en una fotografía sencilla de algún elemento de la creación. Coloque música instrumental de fondo. Al terminar, pregunte a los niños qué pensamientos y sensaciones les surgían al crear el dibujo.

Maestro: «Ustedes acabaron de hacer una expresión artística. En su capacidad crearon algo nuevo, inspirado en una foto de la creación de Dios. Pero, ¿de dónde viene esa habilidad de hacer y disfrutar el arte?».

Usted necesitará:

- 5 fotos que reflejen belleza y 5 fotos que no (anexo 24.a).
- Canción de música popular que hayas escuchado con anterioridad que exprese una idea clara a favor o en contra de un principio o mandamiento bíblico.
- Rótulo de las palabras de vocabulario: «ARTE» y «BELLEZA» (láminas 11.1, 11.2).
- Lámina de un ojo (lámina 10.8).
- Lámina de un oído (lámina 15.32).
- Lámina de un cerebro (lámina 1.2).
- Lámina con la escultura de un rostro humano (lámina 15.33).
- Lámina de las tablas de los Diez Mandamientos (lámina 15.34).
- Lámina de imagen que muestra simetría (lámina 11.3).

(Lea Génesis 1:1): «En el principio creó Dios los cielos y la tierra». ¿Quién creó los cielos y la Tierra? ¿Hay arte en los cielos? ¿En la Tierra?». (Permitir que los niños piensen y respondan). Dios fue el primero en crear; esto lo convierte en el primer artista.

«Dios, el Creador, es el primer artista. Toda la creación nace de sus cualidades artísticas. Él habló y fue creando con palabras. Para conocer qué es el arte y cuál es su propósito debemos ir al primer Artista, de dónde surgen todas las cosas. Tú y yo podemos hacer arte y disfrutar de él, porque tenemos la habilidad de crear. Tenemos esta habilidad porque fuimos hechos a imagen y semejanza de Dios. En otras palabras, nosotros creamos y celebramos porque Dios crea y celebra».

(Muestre el rótulo de la palabra de vocabulario «ARTE» [ver láminas 11.1] y permita que uno de los niños lo pegue en el mural de las palabras). «Arte es la creación de algo haciendo uso de las habilidades con el propósito de mostrar belleza». (Permita un tiempo para que los niños coloreen el versículo de Génesis 1:1 de color rosado y llenen la leyenda).

«El propósito original de Dios para su Creación era traer belleza y mostrar su gloria dándonos un ambiente hermoso que reflejara quién Él es». (Lea Eclesiastés 3:11a: «Él, en el momento preciso, todo lo hizo hermoso...» Enfatice que todo lo que Dios hizo muestra belleza).

«El hombre puede mirar todo lo creado y no le faltan razones para adorar a Dios. Pensemos en un amanecer o un atardecer. Piensa en los colores del otoño y en los de la primavera. Dios creó cada uno de estos escenarios, y cuando lo miras exclamas: ¡es asombroso! Si estos escenarios son bellos, cuánto más será el primer artista». (Puede mostrar fotos de estos escenarios y llamar la atención de los niños hacia la belleza en los colores, la perfección de las formas, etc.).

«Dice la Biblia que Dios descansó el séptimo día, cuando Dios terminó su Creación. ¿Necesita Dios dormir? No. Cuando la Biblia dice que descansó, podemos concluir que admiró y disfrutó su obra. Tanto así que dijo que su obra era buena. La belleza viene de Dios». (Muestre el rótulo de la palabra de vocabulario «BELLEZA» [ver lámina 11.2] y permita que un voluntario lo pegue en el muro de las palabras).

«Es muy importante entender lo que es la belleza para poder determinar lo que es buen arte y lo que no lo es. La belleza está en aquello que nos complace o nos agrada, el oído, el ojo, el intelecto, la estética y la moral». (Repase la definición de los ya mencionados en las láminas 10.8, 15.32, 1.2, 15.33, 15.34)

«Ten en cuenta que lo que es bello no sólo es lo que agrada a los sentidos como el ojo y el oído, sino que además necesita complacer o agradar los principios de estética y los principios morales».

«La estética se refiere a esos principios que determinan lo que es bello. Estas leyes tratan la armonía (unidad correcta de las cosas como colores, sonido, etc.), la simetría (la forma, el tamaño y la correspondencia de las partes entre sí), los colores, las formas, y los sonidos, entre muchas otras cosas». (Muestre lámina 11.3 para que ellos puedan ver como lo que es ordenado, tiene armonía y simetría refleja la belleza que complace nuestros sentidos. También puede colocar una pieza musical instrumental de Johann Sebastian Bach).

«La moral se refiere a lo que es bueno y justo delante de Dios. El buen arte debe mostrar la verdad, aquello que es bueno. Por ejemplo, estás escuchando el ritmo de una música que te gusta mucho y sabes que cumple con las leyes de estética porque tiene armonía en los sonidos. Hasta aquí podemos decir que esa música muestra belleza. Pero si alguien le añade una letra que habla mentiras, maldad y obscenidades ¿seguirá esa música mostrando belleza con la letra pervertida?». (Permitir que los niños piensen y respondan). Claro que no, porque no sigue los principios morales ni exalta la verdad.

«No es arte todo lo que dicen que es. Las leyes de estética y moral determinan y gobiernan lo que es bello. Por esta razón podemos decir que la belleza es absoluta, o sea, única. Fuimos diseñados para ser atraídos a la belleza. Aunque no conozcamos todas estas leyes podemos reconocer cuando una pintura, escultura, música, baile o arquitectura es bella».

Actividad: Cazadores de belleza

Muestre a los niños las imágenes del anexo 24.a y pregúnteles: «¿Cuáles muestran belleza y cuáles no? La belleza es importante porque nos muestra cómo es Dios y también trae descanso y restauración a nuestra alma. La belleza nos lleva a ser renovados y a celebrar la Creación. Las artes también comunican. Comunican una historia y unas ideas. A través del arte debemos contar su historia. Dios es el gran Artista creando, dirigiendo y enseñando la historia de su Reino. Así mismo, los artistas deben ser contadores de su historia. ¿Cuál es la historia que debe ser relatada? Nosotros debemos contar la Historia de Dios con belleza, justicia y verdad».

«Pero como dijimos, el arte también comunica ideas. Por ejemplo, la música que escuchamos en las emisoras de radio, las películas que dominan las carteleras, un baile, entre otros, están comunicando las ideas del artista. Estas son esparcidas a las naciones a través de los medios de comunicación. Un artista tiene la responsabilidad de cambiar la visión de las ciudades penetrando en la cultura con las ideas del Reino de los Cielos. ¿Cuáles son estas ideas? ¿Hay verdad en ellas?».

Actividad: Cazadores de ideas.

«Toque una canción popular, no necesariamente cristiana. Divida los niños en grupos pequeños y otórguele a cada grupo la letra de la canción en un papel. Indique a los niños que deberán escuchar la canción y escribir en una hoja la idea o las ideas que son comunicadas en ella. El líder del grupo debe estar con ellos para ayudarles. Luego analice las ideas con todos los grupos y compárelas con la verdad de Dios. Pregunte si esa canción comunica la historia de Dios y si sus ideas son verdad o mentira».

Maestro: (resume) «Hasta ahora hemos conocido el propósito de las artes que es traer belleza, la cual produce descanso y restauración (renovación) a nuestra alma, además de comunicar la Historia de Dios y sus ideas de verdad. También hemos aprendido que para que el arte sea bello no sólo debe ser agradable a nuestros sentidos sino también ¿a…?». (Permita que los niños piensen y respondan). «También debe ser conforme a las leyes de estética y la moral». (Aproveche este momento para aclarar cualquier duda que los niños tengan respecto a los conceptos mencionados hasta aquí).

«Pero, como mencionamos al inicio de la clase, las artes incluyen la celebración. Celebrar es adorar, exaltar, elogiar o darle algo a alguien». (Esta definición se basa en el diccionario Webster, 1828). «Todo tipo de arte adora o le da honor a algo o a alguien. El buen arte, conforme a la verdad de Dios, alaba y honra al Creador. Cuando una persona que ama a Dios baila, lo hace para celebrarlo a Él; cuando un pintor pinta un hermoso cuadro lo hace para adorarle; cuando un escultor hace una escultura, la hace para darle la gloria a Dios. De igual manera, como parte de la celebración existen los deportes».

«Tal vez te estés preguntando dónde está el lugar de un atleta en el Reino de Dios. Los atletas son como artistas con unos dones dados por Dios que deben ser cultivados y desarrollados para mostrar belleza, traer descanso a la vida del hombre y celebrar al Creador y su creación. Para que esto se cumpla, el desempeño del atleta debe llevarse con justicia y verdad dentro y fuera del juego. Por ejemplo, cuando un atleta está jugando soccer debe mostrar a Dios al jugar limpio, sin hacer trampa, jugando en equipo. Además, debe ser amable con los jugadores del equipo contrario y jugar con excelencia. Tanto el atleta como la persona que ve el juego disfrutan y celebran. Así, como cuando hablamos de las artes, el deporte también muestra belleza porque conlleva dinamismo, armonía, orden y una demostración magnífica de las habilidades deportivas. Pero, el deporte puede tornarse feo cuando los jugadores juegan sucio, hacen trampa y no juegan con excelencia».

(Pregunte a los niños qué sensaciones experimentan cuando están viendo un juego de su deporte favorito y ven que los jugadores están jugando con excelencia. Puede dar un ejemplo dependiendo del deporte que más llame la atención a sus estudiantes, por ejemplo: «En un juego de futbol americano, un espectador disfruta ver la formación defensiva de una estrategia ya formada. Una vez la señal se da, se ejecuta la estrategia usando la fuerza y la inteligencia, mientras que el jugador lanza el balón en el aire con un perfecto espiral para conectar con un jugador en movimiento que atrapa el balón en el aire y tiene la habilidad para colocar su cuerpo en la caída en posición para continuar corriendo y anota puntos. A medida que relata la jugada del deporte que elija, trate de actuar los movimientos»).

«Algo muy especial de los deportes y las artes es que unen los pueblos en sana competencia, celebrando la gloria de Dios en las naciones. ¿Puedes pensar en un evento atlético donde se unan todas las naciones?». (Permita que los niños piensen y respondan). «Las Olimpiadas son un ejemplo de lo que pueden hacer los deportes, uniendo muchas naciones que llevan lo mejor de sus países. Lamentablemente, hoy día se han olvidado que todas las habilidades deportivas vienen de Dios y ya no todos lo celebran a Él en las Olimpiadas, sino que se celebran a sí mismos».

«Aunque pienses que Dios no te ha llamado a ser un artista o un atleta profesional, puedes disfrutar del descanso y la restauración que el arte y el deporte traen al alma al practicarlos de manera personal entre tu familia y amigos o al apreciarlos. Con esto que hemos aprendido, ¡todos nosotros debemos aspirar a reflejar belleza! O sea, a crear y promover lo que es hermoso y lo que es agradable a los 5 sentidos, a los principios de estética y a la moral, es decir, aquello que promueve lo que es bueno y verdadero. Las artes y el deporte revelan la belleza de Dios. Estos traen descanso y restauración al alma, seamos nosotros los artistas y deportistas o aquellos que disfrutan de las buenas artes y el deporte».

«Dios te creó de manera que necesitaras la belleza y el descanso. Por esto, no olvides dar espacio en tu vida para disfrutar del arte y los deportes».

CIEERRE:

Aplicación/Resumen

«¿Piensa en todo lo que haces en un día. ¿Reflejas la belleza de Dios? ¿Reflejas belleza en la forma en que limpias y mantienes tu cuarto o en cómo te vistes y te arreglas? También piensa en el arte o deporte que estás apoyando. ¿Es un arte o deporte que muestra belleza y comunica lo que es justo y verdadero?».

(Dirija a los niños en una oración de arrepentimiento. Ore que Dios pueda llenarlos con su temor para solo apoyar la música, las películas, los cuentos, las esculturas, las pinturas, etc., que exaltan la verdad, lo bueno y lo justo. Aproveche la oportunidad para orar que Dios los llame a transformar la esfera del arte, siendo artistas o deportistas que traigan su Reino a la tierra).

HOJA DE TRAABAJO:

Usted necesitará:

- Ejemplo de un poema para leerlo a los estudiantes (anexo 24.b).
- Hoja de registro de arte (anexo 24.c).

«Crear un poema con la palabra "arte" donde se represente visualmente lo aprendido durante la clase. Los pasos a continuación ayudarán a crear el poema concreto». (Muestre a los estudiantes el ejemplo de un poema concreto [ver anexo 24.b]).

Lección 12

Esfera de las comunicaciones

(Clases niños 8-11 años)

Color de la esfera de las comunicaciones: Rojo.

TIEMPO: 1 hora 30 min.

OBJETIVOS:

- ▸ Conocer el propósito de Dios para las comunicaciones.
- ▸ Aprender lo que es la verdad.
- ▸ Promover la utilización de los medios de comunicación para comunicar la verdad.
- ▸ Animar a utilizar la soberanía que Dios nos ha dado para escoger lo bueno en los medios de comunicación.

VOCABULARIO:

- ▸ Comunicación:

Acto de impartir u ofrecer información (pensamientos u opiniones) de uno a otro a través de las palabras; mensajes u otros métodos. (Diccionario Webster, 1828).
Acción y efecto de comunicar o comunicarse. (Diccionario de la Real Academia Española, vigésima segunda edición).

- ▸ Soberano:

Poder supremo; supremacía; poseer el mayor poder. La absoluta soberanía le pertenece sólo a Dios. (Diccionario Webster, 1828).
Que ejerce o posee la autoridad suprema e independiente. (Diccionario de la Real Academia Española, vigésima segunda edición).

- ▸ Verdad:

Conformidad al hecho o realidad; conformidad exacta a aquello que es, que fue o que será. (Diccionario Webster, 1828).

IDEA PRINCIPAL:

- ► Las comunicaciones trasmiten la verdad de Dios.

ESCRITURA BÍBLICA:

- ► Salmo 119:160 a: «En tu palabra se resume la verdad…».
- ► Hebreos 4:12: «Porque la palabra de Dios tiene vida y poder. Es más cortante que cualquier espada de dos filos, y penetra hasta lo más profundo del alma y del espíritu, hasta lo más íntimo de la persona; y somete a juicio los pensamientos y las intenciones del corazón».

Contenido de la lección

ACTIVIDAD DE INICIO:

Usted necesitará:

Opción #1

- Tres iPod´s con audífonos y/o radio con música ruidosa. (opcional, de no tenerlos disponibles pueden utilizar ollas o cucharones que hagan ruido).
- Telón o bolsas negras (para dividir el salón en tres estaciones).

Prepare tres estaciones. Cada una debe tener un iPod con audífonos o una radio con música ruidosa. (De no tener disponible radios ni iPod, puede pedirles a los mismos niños que hagan ruido gritando o utilizando ollas y cucharones, y/o colocando una radio con música ruidosa en volumen alto). Divida cada estación con un telón o con una bolsa negra que sirva de telón (La idea es que las personas que estén en las diferentes estaciones no se vean entre sí, a menos que alcen el telón o la bolsa negra).

Forme un equipo de cuatro voluntarios: tres personas para las estaciones (una por estación) y una persona que será la que recibirá el mensaje inicial. El participante No.1 no llevará audífonos, mientras que los participantes dentro de las estaciones deberán tener encendido el iPod o la radio con música ruidosa.

El maestro compartirá con el participante No.1 varias frases que contengan un mensaje importante (ver opciones mencionadas más adelante). A su vez, el primer participante deberá compartir el mensaje a la segunda persona del equipo cuando se levante el telón que los divide (los participantes no pueden gritar, ni hacer gestos con sus manos, ni acercarse al otro participante).

Cada participante debe transmitir el mensaje a la persona siguiente hasta que llegue al participante No. quién escribirá en la pizarra o papel la frase que escuchó. Se les dará de 10 a 15 segundos para intentar transmitir la información (si desea, puede hacer dos equipos y crear una competencia para ver cuál es el equipo que más frases acierta).

Opciones de frases:

- La familia muestra el amor de Dios.
- No podré llegar porque está lloviendo.
- ¡Ocurrió un accidente, llama a una ambulancia!
- La educación muestra la sabiduría de Dios.
- Tres cualidades del carácter de Dios son el amor, la sabiduría y la justicia.
- ¡Hay un incendio, llama al bombero!

Opción #2

Coloque la mayor cantidad de niños en una fila. Diga al último niño de la fila un mensaje. Este debe pasar el mensaje al oído de la persona que tiene al frente, quien a su vez debe pasar el mensaje al oído de la persona que tiene al frente [como si se estuvieran pasando un secreto] hasta que el mensaje llegue a la primera persona en la fila quien escribirá en la pizarra o dirá el mensaje que le llegó. Los niños sólo podrán decir una sola vez el mensaje al niño que tiene al frente y no podrá repetir para aclarar dudas.

(Al terminar la actividad pregunte a los niños): «¿Qué trataban de hacer los participantes en esta actividad?». (Permita que los niños piensen y respondan). En esta actividad cada participante intentó comunicar «correctamente» un mensaje.

Maestro (Concluye): «Nosotros los seres humanos fuimos creados para comunicarnos. Nos comunicamos a través de palabras, imágenes, expresiones físicas, lenguajes, señas, etc. Pero quien comenzó con toda esta idea de la comunicación fue Dios, el gran comunicador».

DESARROLLO:

Usted necesitará:

- Rótulo de la palabra de vocabulario «COMUNICACIONES» (lámina 12.11).
- Lámina de la creación (lámina 2.1).
- Lámina del Señor Jesús (lámina 15.35).
- Lámina de la Biblia (lámina 15.23).
- Lámina de una paloma (lámina 4.5).
- Una manzana roja.
- Rótulo de la palabra de vocabulario «VERDAD» (lámina 12.12).
- Computadora y proyector (opcional).
- Cortos de películas conocidas por los niños que promuevan malos y buenos mensajes.
- Guttenberg:
- **Opción No.1:** mostrar video: Los inventores: Gutenberg y la Imprenta, el cual puede encontrar en YouTube: www.youtube.com/watch?v=CsGSDw9xZ9Q (Debe mostrar sólo partes escogidas previamente, pues el video dura 26 min. aproximadamente).
- **Opción No.2:** contar historia con láminas (anexo 25.a).

    «Hoy vamos a descubrir el propósito de Dios para la esfera de la sociedad que se encarga de comunicar. Esta área se llama: las comunicaciones». (Mostrar rótulo de la palabra de vocabulario «COMUNICACIONES» [ver lámina 12.11] y permitir que un voluntario la pegue en el mural de las palabras).

«Comunicar es dar información utilizando palabras, señales u otros medios». (Repetir la definición). «Cuando nos hablamos, cuando nos escribimos, cuando nos hacemos señas para transmitir o pasar una información… ¡nos estamos comunicando!».

«Tú y yo podemos comunicar información porque fuimos hechos a imagen y semejanza de un Dios que se comunica. Desde el comienzo Dios ha buscado comunicarse con nosotros los seres humanos. Él se comunica por medio de la Creación (mostrar imagen de la creación [ver lámina 2.1]) dejándonos saber que existe un diseñador inteligente y bueno que creó todas las cosas para nuestro bien. Dios también se comunicó al enviar a su Hijo Jesús (mostrar lámina del Señor Jesús [ver lámina 15.35]) quién nos enseñó cómo vivir de manera que agrademos al Padre. El Señor Jesús fue un excelente comunicador. De hecho, unos alguaciles dijeron: "Jamás hombre alguno ha hablado como este hombre" (vea Juan 7:46). Ellos estaban sorprendidos de la información que El Señor Jesús les comunicaba y la manera en que Él lo hacía. También Dios se comunica por medio de la Palabra escrita (mostrar lámina de una Biblia [ver lámina 15.23]) la Biblia, la cual nos enseña sus secretos y verdades profundas acerca de Él. Dios también se comunica a través del Espíritu Santo (mostrar lámina de una paloma [ver lámina 4.5]) quien nos habla a nosotros aún hoy en día».

«Como vemos, Dios está interesado en comunicarse con nosotros todo el tiempo. Él nos comunica siempre la verdad porque Él es la verdad. El salmo 119:160 nos dice que la suma de todas las palabras de Dios es siempre verdad». (Permita que los niños coloreen el pasaje con el color rojo y llenen sus leyendas).

«¿Recuerdan que Dios decidió ser verdadero? ¿Recuerdan lo que esto significa?». (Permitir que los niños piensen y respondan).

«La verdad es la descripción de la realidad. Dices la verdad cuando lo que comunicas es conforme a lo que sucedió o sucederá, en otras palabras, a lo que es real. Por ejemplo: Dios hizo la manzana roja (tener una manzana roja en su mano y mostrarla mientras dice esto). ¿Es eso real? ¡Sí! Ahora: ¿Dios hizo la manzana azul? ¿Es eso real? ¡No! No es verdad porque no va de acuerdo con lo que es real».

«Porque Dios se comunica y lo que comunica es verdad, podemos decir que la esfera de las comunicaciones nos muestra la verdad de Dios». (Muestre el rótulo de la palabra de vocabulario «VERDAD» [ver lámina 12.12] y permita que un voluntario lo pegue en el mural de las palabras).

«Para Dios es tan importante la comunicación que Él se llama a sí mismo la "Palabra Viva". Dice en Hebreos 4:12 que la palabra de Dios es viva y eficaz, que penetra hasta nuestros huesos y que es muy poderosa». (Permita que los niños coloreen el pasaje con el color rojo y llenen sus leyendas).

«Como vemos, las palabras de Dios son muy importantes. Sus palabras tienen poder y traen vida porque son la verdad. Dios ha decidido usar sus palabras para comunicar lo que es verdadero. Como Dios te hizo a su imagen y semejanza, tú también puedes darle poder a tus palabras para que traigan vida al decidir comunicar la verdad».

«Hoy día existen muchos medios de comunicación. Gracias a estos medios podemos comunicar información a muchas personas en diferentes lugares del mundo. ¿Qué medios de comunicación conoces?». (Permita que los niños piensen y respondan. Ayúdeles a pensar en aquellas cosas que ellos utilizan para compartir información con otros. Anote en la pizarra lo que los niños mencionen). «Actualmente contamos con mucha variedad de medios de comunicación: las cartas, el televisor, la radio, el Internet, el teléfono, los celulares, el periódico, las revistas, noticieros, películas, música, video juegos etc. ¿Qué están comunicando las personas hoy día a través de estos medios?». (Permita que los niños piensen y respondan). «Las personas son libres para comunicar lo que decidan utilizando estos medios. Aquellos que no aman a Dios han decidido comunicar la mentira. Promueven la violencia, la maldad, el engaño, la desnudez, etc. Sin embargo, aquellos que aman a Dios han decidido comunicar la verdad. Promueven lo bello, la vida, la amistad, la pureza y cosas semejantes a estas».

«Dentro de todas las opciones de información que se transmiten en los medios de comunicación, cada uno de ustedes tienen el poder y la capacidad para elegir qué escuchar y qué ver. Si ves un programa en la televisión que es malo y no trae vida ni verdad, tú puedes decir: NO, no voy a ver ni creer lo que dice este programa, y por eso lo voy a cambiar. Por ejemplo: si al prender el televisor están dando una película donde los niños hacen magia para obtener sus propios sueños, y desobedecen a sus padres y maestros para lograr lo que ellos quieren, (se está haciendo alusión a la película de Harry Potter) ¿Crees que esto trae vida y dice la verdad de cómo debemos vivir? Claro que NO. Por eso debemos cambiar de canal o programación y no creer esas mentiras». (De ser posible puede colocarles cortos de películas conocidas donde se vea aquello que pueden elegir no ver y aquello que pueden elegir ver. Por ejemplo, las películas de Harry Potter son conocidas por promover mensajes oscuros como los mencionados anteriormente; sin embargo, las películas de Narnia son conocidas por revelar verdad, vida y promover buenos valores).

«Tú tienes también el poder y la capacidad para elegir qué vas a comunicar a otros al utilizar cualquie medio de comunicación. ¿Qué información compartes con otros cuando hablas, cuando usas el Internet u otro medio? ¿A caso los utilizas para decir mentiras o hablar cosas que no agradan a Dios? Recuerda: debes comunicar la verdad porque tus palabras tienen mucho poder. Vamos a leer Jeremías 1:6-10 para ver qué es lo que debemos comunicar y cuán importantes son las palabras que comunicamos». (Recomendamos leer el pasaje de la Biblia en la versión Dios Habla Hoy). «¿Qué palabras son las que debemos de decir o comunicar?». (Permitir que los niños piensen y respondan. Hacer referencia al versículo 7). «Estamos llamados a comunicar lo que Dios nos diga. Su palabra es muy clara y nos dice que siempre debemos decir lo que es verdad».

«El versículo 10 nos enseña el poder que tienen las palabras. ¿Cuál es ese poder? (Permitir que los niños piensen y respondan). Como dice el versículo, las palabras tienen poder para destruir o para construir. Dios nos ha dado poder en nuestras palabras para destruir lo que es malo y para construir lo que es bueno. Por eso debemos escoger decir siempre la verdad para que la mentira sea destruida, pero lo bueno sea levantado. Por ejemplo, si yo trabajara para un periódico, yo buscaría escribir noticias que digan la verdad siempre. De esta manera, si yo sé que hay una persona que está robando, yo publicaría noticias con fotos de la persona para que los ciudadanos estén alerta y se lo digan a la policía».

«De esta manera estoy destruyendo el mal. Pero como mis palabras también tienen poder para construir el bien, debo escribir acerca de los que ayudan a los necesitados o acerca de jóvenes quienes nos representan en otros países a través de los deportes, para levantar las buenas noticias de la comunidad. Así mismo cuando escribes mensajes en Facebook, cuando hablas con tus compañeros por teléfono o cuando te comunicas utilizando algún otro medio de comunicación, no debes escribir cosas tontas o hablar mal de la gente porque con esto estás construyendo más maldad en vez de derribarla. ¿Qué cosas debes comunicar cuando utilizas tu Facebook u otros medios de comunicación?». (Permitir que los niños piensen y respondan). «Puedes escribir mensajes de ánimo con datos verdaderos que ayuden a los demás a pensar, entre otros. Ningún medio de comunicación es malo; las computadoras no son malas, ni el Internet, ni el televisor, ni Facebook, ni los celulares, ni el correo electrónico».

Actividad:

(Diga a los niños que agarren algún objeto que tengan a su alrededor, ya sean sus libretas, lápices, crayolas, zapatos). «Este objeto no es malo ni bueno. Lo que lo hace malo o bueno es lo que yo hago con él. Si yo lo uso para tirárselo a mi compañero, no estoy usando bien el objeto. Si lo uso para lo que fue diseñado: escribir, pintar, etc. (depende de lo que hayan agarrado), entonces lo estoy usando para bien. Igualmente, debemos usar cada cosa para lo que fue diseñado. Los medios de comunicación los debemos usar para dar a conocer la verdad siempre. El propósito de Dios con las comunicaciones es que proporcionemos información que esté basada en la verdad, para que las personas, bien informadas, puedan tomar buenas decisiones».

«Una persona que ayudó al avance de las comunicaciones fue Johannes Gutenberg. Veamos lo que hizo y por qué.». (*Opción A:* presentar un video corto sobre la historia de Gutenberg y la Imprenta [ver lista de materiales para enlace en Internet] /*Opción B:* leer historia con láminas de Gutenberg y la imprenta [ver Anexo 25.a]).

«¿Cómo ayudó Gutenberg a compartir la información de manera más efectiva a las personas en todo el planeta?». (Permitir que los niños piensen y respondan). «Este hombre, que cambió el mundo de las comunicaciones, creó la imprenta. Por medio de la Imprenta hizo disponibles muchos libros con información muy valiosa. ¿Sabes qué fue lo que motivó a Gutenberg a crear la imprenta? Él quería "…dar alas a la verdad para que ella pudiera ganar a todas las personas del mundo por medio de una máquina que multiplicaría la verdad como el viento"».

«Lo que lo motivó fue comunicar la verdad, y hacerla accesible a todos por un precio más económico. Es por esto que el primer libro que él multiplicó a través de la imprenta fue la Biblia».

CIERRE:

Aplicación/Resumen

«Dios nos creó con la capacidad de comunicarnos. El área de las comunicaciones nos muestra la verdad de Dios. Él siempre se está comunicando con nosotros y todo lo que Él dice es verdad. Pero de igual forma desea que tus palabras sean como las de Él, verdaderas. Hoy día existen muchos medios de comunicación. Tú conoces muchas verdades y debes utilizar los medios de comunicación para trasmitir cosas importantes y verdaderas. No olvides que personas que no aman a Dios utilizan los medios de comunicación para dar mensajes de maldad y mentira. Pero Dios te ha dado poder para elegir qué vas a ver, a escuchar y a creer, y qué vas a comunicar con tus palabras».

«¿Sabías que científicamente se ha descubierto que las palabras están compuestas de sonidos cuyas ondas nunca desaparecen del todo? Siempre se queda una parte de ese sonido viajando por el espacio. La Biblia dice que Dios ha escrito todas nuestras palabras en un libro y nos pedirá cuentas por ellas. Por esto no debes hablar por hablar, pues tus palabras duran para siempre y tienen el poder de crear o destruir. ¿Cómo has utilizado tus palabras? Pensemos por un momento si hemos hecho lo correcto con lo que hemos visto por la televisión, o con lo que hemos escuchado en la música; o si hemos hablado sólo la verdad, así como Dios lo hace. Aplicándolo a tu vida, ¿has sido verdadero cuando te comunicas con otras personas? Al usar Facebook o Twitter, ¿has mostrado esta cualidad de Dios en tu vida? Si te das cuenta de que has sido egoísta y has decidido por la mentira o la superficialidad (lo vano), debemos arrepentirnos y pedirle perdón a Dios. Pidámosle que nos ayude a ver, escuchar y decir sólo lo que sea bueno». (Dé tiempo para que los niños evalúen sus palabras y la manera en que han utilizado los medios de comunicación. Diríjalos en una oración de arrepentimiento por la manera liviana en que los han estado utilizando. También anime a los niños a preguntarle a Dios si los está lamando a transformar al mundo en el área de las comunicaciones siendo periodistas, anclas de noticias, productores de películas, etc.).

HOJAS DE REGISTRO:

Usted necesitará:

* Hoja de trabajo de comunicaciones (anexo 25.b).
* Lápices de colores o crayolas.

Los niños escribirán y/o dibujarán en la hoja de trabajo de Comunicaciones (ver anexo 25.a) los diferentes medios de comunicación que existen actualmente y cómo pueden utilizarlos para revelar la verdad de Dios.

Economía

Lección 13

Esfera de la economía

(Clases niños 8-11 años)

Color de la esfera de la economía: Verde.

TIEMPO: 2 horas.

OBJETIVOS:

- ► Entender lo que es bondad.
- ► Aprender el propósito de Dios para la economía.
- ► Conocer lo básico acerca del funcionamiento y procesos de la economía.

VOCABULARIO:

- ► Economía:

Disciplina que estudia cómo los hombres, por sus decisiones y labor, utilizan los recursos naturales para producir bienes y servicios para satisfacer las necesidades y deseos humanos con máxima eficiencia; el estudio de las formas en que el hombre produce, distribuye y consume bienes y servicios bajo los diferentes sistemas económicos y de gobierno. (James B. Rose, A guide to American Christian Education, p. 415).
Administración eficaz y razonable de los bienes. (Diccionario de la Real Academia Española, vigésima segunda edición).

- ► Bondad:

Natural inclinación a hacer el bien. (Diccionario de la Real Academia Española, vigésima segunda edición).
Buena voluntad; benevolencia; carácter o disposición que se deleita en contribuir a la felicidad de otros, la cual es ejercida alegremente para gratificar sus deseos, supliendo sus necesidades o aliviando sus aflicciones... (Diccionario Webster, 1828).

IDEA PRINCIPAL:

► La economía revela la bondad de Dios.

ESCRITURA BÍBLICA:

► Deuteronomio 15:4: De esta manera no habrá pobres entre ustedes, pues el Señor tu Dios te bendecirá en el país que él te va a dar como herencia.
► Mateo 6:24-34.

Contenido de la lección

ACTIVIDAD DE INICIO:

Usted necesitará:

- Papel de construcción de colores.
- Pegamento (suficientes para que los niños compartan).
- Tijeras (suficientes para que los niños compartan).
- Marcadores de colores (suficientes para que los niños compartan).

Provea a cada grupo materiales como: varios papeles de construcción de colores, pegamento, tijeras, marcadores, entre otros. Diga a los niños que creen algo con esos materiales que pueda suplir alguna necesidad que tienen los seres humanos. Dígales que tienen 10 min. Al terminar permita que los niños compartan lo que crearon y qué necesidad humana están satisfaciendo.

DESARROLLO:

Usted necesitará:

- Rótulo de las palabras de vocabulario «ECONOMÍA» y «BONDAD» (lámina 13.2, 13.1).
- Cinco naranjas cortadas por la mitad.
- Un exprimidor de naranjas.
- Una cuchara.
- Hielo.
- Una jarra.
- Azúcar.
- Servilletas.
- Un vaso.
- Lámina con un árbol dibujado (lámina 13.3).
- Lámina con un signo de suma (lámina 15.27).
- Lámina con un hombre dibujado (lámina 13.4).
- Lámina con un hacha dibujada (lámina 3.5).

- Lámina con un signo de multiplicación (lámina 15.37).
- Lámina con una casa de madera dibujada (lámina 13.6).
- Lámina de un signo de igual (lámina 15.28).
- Lámina de una máquina de extracción de petróleo (lámina 15.36).
- Rótulo «Producción» (lámina 13.7).
- Rótulo «Distribución» (lámina 13.12).
- Rótulo «Consumo» (lámina 13.14).
- Imágenes del proceso de producción de leche (lámina 13.9).
- Imágenes del proceso de distribución de leche (lámina 13.13).
- Imágenes del proceso del consumo de leche (lámina 13.16).

Maestro: «¿Qué necesitaron ustedes para crear su manualidad?». (Permita que los niños piensen y respondan). «Necesitaron materiales, recursos y herramientas (papeles, lápices, pegamento, etc.), también necesitaron creatividad y usar sus mentes».

«¿De dónde provinieron los recursos que utilizaron para crear algo que fuera de utilidad al ser humano?». (Permitir que los niños piensen y respondan. Dirija a los niños a pensar en el origen de todas las cosas que tenían para crear y muéstreles que en última instancia cada cosa que ellos utilizaron para crear provenía de Dios; sin Él nada de lo que utilizaron existiría).

«Como vemos, Dios es la principal fuente de provisión para todo lo que ustedes crearon y tenemos. Todos los recursos que podemos ver en la naturaleza que Dios creó son útiles para producir bienes. Esto es así porque Dios les dio un lugar al hombre y la mujer donde pudieran vivir y crear riqueza. Cuando Dios nos da todo lo que necesitamos para desarrollar bienes y riqueza podemos ver que Él es Bondadoso».

«Hoy vamos a conocer el propósito de Dios para la esfera o área de la sociedad que trata con los bienes y las riquezas. Esta es la economía». (Mostrar rótulo de la palabra de vocabulario «ECONOMIA» [ver lámina 13.2] y pegarlo en el muro de las palabras). La esfera de la economía nos revela la bondad de Dios».

(Lea con los niños Mateo 6:24-34). «¿Qué te está diciendo El Señor Jesús en este pasaje? (Permita que los niños piensen y respondan). La Biblia nos enseña que Dios sabe qué cosas necesitamos como la ropa o la comida, y nos las provee».

«Como Él es Bueno, podemos confiar en que siempre cumplirá su promesa de darnos lo que necesitamos. Él es el gran proveedor (Provea un momento para que los niños coloreen el pasaje con el color verde y llenen sus leyendas). «Porque Dios es bondadoso, Él se encarga de satisfacer todas tus necesidades».

«La Bondad consiste en ser bueno y deleitarse en contribuir a la felicidad de otros». (Mostrar rótulo de la palabra de vocabulario «BONDAD» [ver lámina 13.1] y pegarlo en el muro de las palabras). «Dios es bondadoso porque se deleita en proveer para el ser humano, porque Él conoce, como dice en Mateo 6, de qué cosas tenemos necesidad. En la creación nos ha llenado de todos los bienes o recursos que podemos utilizar para producir cosas que ayuden a los seres humanos. Por ejemplo, nos ha dado árboles con los que podemos sacar madera y hacer casas. ¿Puedes pensar en algo más que Dios nos haya dado en la Creación, con lo que podamos beneficiar a otros?». (Permita que los niños piensen y respondan. Puede ayudarles a pensar qué cosas se pueden crear con las plantas [té, medicinas], madera de árboles [muebles, casas], con los metales [carros, aviones, ollas], etc.).

«Puesto que Dios es bondadoso, Él toma cuidado de la Creación y la administra con excelencia. Por esto Él es el mejor economista. La economía trata acerca de cómo los seres humanos, por medio del trabajo, utilizan los recursos que Dios les ha dado para producir bienes y riquezas». (Hacer referencia al rótulo de la palabra de vocabulario «ECONOMÍA» que pegaron en el muro de las palabras).

«Por ejemplo, yo sé que cuando llega el verano a las personas les da mucha sed y les gustaría un vaso de jugo de naranja bien frío. Aquí tengo unos recursos y unas herramientas que puedo utilizar para crear un jugo de naranja que pueda vender a las personas y así obtener riqueza». (Tenga disponible en una mesa unas cinco naranjas cortadas por la mitad, un exprimidor de naranja, una jarra, hielo, azúcar, servilletas, cuchara y un vaso. Haga usted un jugo de naranja, o puede pedirle a un líder y un niño que trabajen haciendo un jugo de naranja).

«Al finalizar pregunte: ¿Qué fue necesario para poder crear un jugo de naranja que se pueda vender y crear riqueza al bendecir a otros?». (Permita que los niños piensen y respondan. El niño que mencione la palabra «trabajo» se llevará el jugo de naranja como recompensa). «Para poder hacer un jugo que se pudiera vender fue necesario el trabajo. Según la definición, el trabajo es muy importante para una buena economía».

«El trabajo no es un castigo porque comenzó con Dios mismo». (Lea Juan 5:15 y muestre a los niños cómo El Señor Jesús mismo dijo que el Padre aún trabaja). «Él nos manda a trabajar seis días y descansar uno. Al hacer esto lo estamos imitando a Él, pues trabajó seis días en la Creación y descansó uno». (Muestre una porción de la canción del Gran Combo: «Echa pa'lante» y pregunte a los niños cómo sería la economía de su país si todos tuvieran esa mentalidad de trabajo arduo).

«El Señor Jesús mismo habló de la importancia del trabajo, de mantenernos ocupados con los bienes que Él nos ha dado para multiplicarlos». (En sus propias palabras, cuente la historia de Lucas 19:11-23. Enfatice que aquel que fue diligente en su trabajo es el que obtuvo ganancias, bienes y riquezas). «El trabajo es muy importante para tener bienes y riquezas.

«Pero la economía no sólo trata de hacerse rico con los productos que vendes. La meta de la economía es ser bendición a nuestro país. Dios nos bendice, nos da riquezas y bienes para poder bendecir a otros. La meta de las personas que se desempeñan en el área de la economía, no debe ser cómo enriquecerse, sino pensar en cómo utilizar todo sus bienes e ideas para ayudar a que otros tengan trabajo y puedan obtener a un precio justo lo que necesitan como: ropa, alimentos, artículos de higiene, etc. y ayudar a que las personas necesitadas puedan mejorar su vida. Para esto se necesita que los economistas y los empresarios sean personas bondadosas igual que Dios».

«Para tener una buena economía también necesitamos una manera de pensar correcta. ¿Cuál es esa manera correcta de pensar? Basarnos en la palabra de Dios. Según la Biblia, nosotros podemos producir porque Dios nos ha dado todo lo que necesitamos para hacerlo. Veamos la siguiente ecuación:

«Para que la economía funcione necesitamos los recursos naturales que encontramos en la creación. Dios creó al hombre y la mujer con ciertas necesidades básicas como alimento, vestido y albergue (casas, un lugar donde refugiarse y protegerse). Por eso Dios puso en Su creación todo lo necesario para satisfacer estas necesidades. Él creó los recursos naturales». (Muestre la lámina de un árbol que representa los recursos naturales [ver lámina 13.3]) y péguela en la pared o en alguna pizarra).

«Pero estos recursos por sí solos no funcionan. Tenemos que sumarle la energía humana, o la capacidad para trabajar, que Dios también nos dio». (Muestre la lámina de un hombre, que representa la fuerza humana [ver lámina 13.4] y péguela al lado del árbol. Entre estas dos láminas se debe pegar un símbolo de suma [ver lámina 15.27]). «Por ejemplo, un árbol por sí solo no funciona para crear un producto. Necesitamos un hombre que trabaje cortando el árbol para tener la madera y construir una casa».

«El trabajo es esencial para que la economía funcione, pero falta una cosa más, una muy importante: las herramientas. Dios nos ha dado ideas para construir herramientas. Estas herramientas multiplican la energía humana (el trabajo). Cuando tenemos herramientas podemos hacer muchos más productos en menos tiempo. Las herramientas hacen que nuestro trabajo sea más efectivo». (Mostrar lámina de un hacha [ver lámina 13.5] y pegarla al lado de la imagen del hombre. Entre estas dos láminas se debe pegar un signo de multiplicación [ver lámina 15.36]).

(Ahora divida la clase en grupos pequeños. Cada grupo anotará en un papel en blanco la mayor cantidad de herramientas que se utilizan para la llevar a cabo la construcción de una casa. Cada grupo tendrá 20 segundos para anotar las herramientas necesarias. El grupo que más herramientas anote será el ganador.) «¿Cómo sería el trabajo de construir una casa sin las herramientas que acabaron de mencionar?». (Permitir que los niños piensen y respondan). «Las herramientas son muy valiosas. Dios es quién nos da las ideas para crear esas herramientas que mejoran la producción de bienes, con los que podemos obtener ganancias y bendecir a otros».

«Toda esta ecuación da como resultado un producto». (Mostrar lámina de una casa de madera [ver lámina 13.6] y pegarla al lado del hacha. Entre estas dos láminas se debe pegar el signo de igualdad [ver lámina 15.28]).

«Hay personas que no creen que Dios nos ha provisto todos los recursos que necesitamos para crear otros productos que ayuden a cubrir las diferentes necesidades humanas. Otros creen que no hay suficientes recursos naturales, que el trabajo es malo y que es como un castigo, o que no hay ideas buenas para crear herramientas que faciliten el trabajo. Estas creencias han hecho que existan muchos países en pobreza».

«Por ejemplo, en India las personas se están muriendo de hambre. ¿Por qué? Su religión les prohíbe matar las vacas y otros animales porque creen que las personas cuando mueren reencarnan o pasan a vivir en estos animales. Por esa creencia no utilizan muchos de estos animales para comer y están en mucha pobreza. Como ustedes ven, ellos no creen que Dios les ha dado estos recursos naturales para satisfacer su necesidad de alimento. El problema de la pobreza está en el pensamiento (en la mente) de los seres humanos, porque Dios se ha encargado de darnos en abundancia para ser prósperos y tener una buena economía. La pobreza está en la mente y en la falta de carácter».

(Muestre la imagen de una máquina de extracción de petróleo [ver lámina 15.36] y permita que todos los niños la observen. Pregunte si reconocen de qué se trata la lámina). «Cientos de años atrás, el petróleo era algo que no tenía valor. Para muchos era algo inservible. Hasta que Dios les dio creatividad a algunos hombres para inventar el combustible o gasolina de motor. Ellos encontraron que el petróleo, al quemarse, proveía energía que hacía funcionar los motores de ciertas maquinarias. Por medio de esta idea dada por Dios a los hombres ahora es muy preciado».

«Actualmente hay muchas personas que piensan que algún día se acabará el petróleo y no vamos a saber qué hacer. Eso es mentira. Aunque el petróleo se acabe, si creemos lo que dice la Biblia, y en la ecuación que acabamos de aprender, podemos confiar en cómo Dios, que es bondadoso, nos dará otra idea acerca de dónde podemos obtener energía para hacer funcionar los motores en una manera mucho mejor de lo que el petróleo lo hace hoy día».

«Recuerda que con la economía buscamos administrar sabiamente los recursos que Dios nos ha provisto para producir riqueza. Para lograr esto la economía trata con la producción (producir algo, un bien siguiendo la ecuación que ya aprendimos); distribución (repartir el producto) y consumo (comprar y utilizar el producto) de bienes y servicios en la comunidad». (Muestre los rótulos que dicen «producción», «distribución» y «consumo». [Ver láminas 13.7, 13.12, 13.14]).

«Por ejemplo, para que ustedes puedan beberse un delicioso vaso de leche todas las mañanas, hay varios procesos que tienen que suceder antes. ¿Qué necesitamos primero? ¿Cómo podemos ver los tres procesos ejemplificados aquí?». (Muestre las láminas correspondientes a la producción, distribución y consumo de leche [ver láminas 13.9, 13.13, 13.16]).

Producción (Permita que los niños den sus ideas):

- Vaca: recurso de la Creación.
- Hombre (energía humana, trabajo): ordeñar la vaca para poder tener la leche.
- Máquinas (herramientas): le quitan todos los gérmenes y bacterias a la leche

Distribución (Permita que los niños den sus ideas):

- Echar la leche dentro de bolsas.
- Un camión se lleva las bolsas a los supermercados.

Consumo (Permita que los niños den sus ideas):

- Compramos la bolsa de leche.
- Nos la tomamos en el desayuno.

(Si desea, puede conseguir por Internet un video que muestre estas etapas al momento de hacer un producto y distribuirlo, como por ejemplo el de la Fábrica de Hersheys, compañía dedicada a la producción de chocolates).

«Gracias a que Dios ha sido bondadoso nos ha provisto recursos naturales, dones internos (como la escritura, la capacidad de enseñar, la capacidad para coser, etc.), el trabajo del ser humano y las herramientas. De esta manera podemos producir muchas cosas, distribuir lo que producimos, para que pueda llegar a muchos lugares, y consumir (o utilizar) dichos productos, beneficiando a muchos».

«Recuerda que un buen negociante no solo busca generar riqueza para sí mismo por medio de los productos que vende. Un buen empresario busca crear algo que traiga beneficio a los demás, lo vende a un precio justo, busca crear empleos para que otros puedan crear riquezas y bienes; y siempre ayuda al necesitado. Veamos tres prácticas que todo buen empresario haría y que tú también puedes comenzar a practicar en tu vida»:

- **Trabaja y descansa:** al trabajar arduamente y descansar, podrás disfrutar del fruto de tu trabajo y renovarás tus energías para continuar.
- **Crea y ahorra:** crea bienes, riquezas y dinero con tu trabajo e inviértelo en otras cosas, pero recuerda que debes ahorrar para el futuro. Ahorrar para tiempos imprevistos, pero también

para ayudar a otros. Por ejemplo, muchos padres guardan ahorros para bendecir a sus hijos cuando van a estudiar. Los abuelos también ayudan a sus hijos y nietos. Esto muestra la bondad de Dios. Tú puedes comenzar a ahorrar guardando parte de tus ganancias en una alcancía o en el banco.

- **Da y trae alivio al necesitado:** cuando Dios te hace prosperar y te da riquezas, dinero y bienes, es para que puedas dar a aquellos que tienen necesidad. Tú puedes dar a los pobres, a los misioneros, ofrendar en tu iglesia, ayudar alguna familia que no tiene que comer, o a las personas que necesitan algún tratamiento médico. Pero no sólo tienes que dar dinero. También puedes dar tu servicio; por ejemplo, si hay una persona que necesita que le corten el césped del patio, tú lo puedes hacer sin costo alguno. Cuando haces esto estás mostrando la bondad de Dios. ¿Puedes pensar en otras maneras en las que con tus bienes, riquezas y dinero puedes dar y ayudar a otros? (Permita que los niños compartan sus ideas).

CIERRE:

Aplicación/ Resumen

«¿Qué nos muestra la economía de Dios?». (Permitir que los niños piensen y respondan). «¿Cómo vemos su bondad?». (Permitir que los niños piensen y respondan). «Dios es bondadoso, y lo vemos en que nos ha dado muchos recursos que podemos utilizar para crear diferentes productos para beneficio de muchas personas».

«Cuando hacemos una buena economía con un carácter de integridad, utilizamos todo lo que Él nos proveyó para glorificarlo a Él y satisfacer las necesidades humanas».

Resumen:

«Hemos visto que Dios ha sido bueno con nosotros al proveernos todo lo que necesitamos para vivir en el mundo que Él nos creó. Así como Dios es bondadoso, él desea que tú y yo también seamos bondadosos. ¿Te deleitas en servir a otros con tus bienes y talentos? ¿Te agradas cuando puedes dar cosas buenas a otros? Si un compañero tiene necesidad de alimento, ¿compartes con él? Si ves a tu mamá trabajando en la limpieza de la casa, ¿le ayudas? Si sabes de una familia que está pasando una necesidad, o que no tienen dinero para comprar ropa, ¿les das dinero o ropa para ayudarles?».

«Todos estos son actos de bondad. ¿Eres buen mayordomo? ¿Trabajas con todas tus fuerzas y descansas como Dios lo hizo? ¿Ahorras parte del dinero que te dan y das a otros con gozo?». (Ore con los niños para que Dios nos enseñe a ser bondadosos, así como Él lo ha sido con nosotros. También lleve a los niños a preguntarle a Dios si Él los está llamando a hacer algo en particular por los necesitados, o en esa tarea de la sociedad).

HOJA DE REGISTRO:

Usted necesitará:

- Hoja de trabajo de economía.
- Lápices de colores.

El maestro entregará una hoja de papel que se titulará «Ecuación de la economía» (ver anexo 26.a), la cual contiene las siguientes imágenes: signo de suma, signo de multiplicación,

y signo de igualdad. La hoja tendrá varios espacios en blanco para que los niños dibujen imágenes representativas de cada paso de la ecuación, los cuales estarán escritos debajo de cada espacio: recursos naturales, fuerza humana, herramientas y bienes.

Ellos deberán explicar en sus propias palabras cada paso conforme a la manera bíblica de ver la economía de Dios.

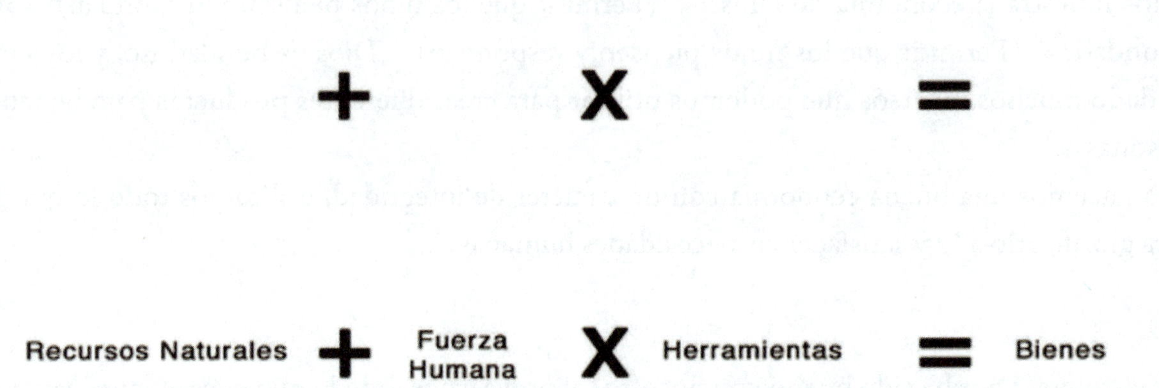

Principio de economía: la economía revela la bondad de Dios cuando los recursos, ideas y energía que han sido dadas por Él son utilizadas para satisfacer las necesidades humanas.

Iglesia

Lección 14

Esfera de la Iglesia
(Clases niños 8-11 años)

Color de la esfera de la Iglesia: Amarillo.

TIEMPO: 1 hora y 30 min.

OBJETIVOS:

- ► Conocer el propósito de Dios para la Iglesia.
- ► Aprender lo que es la santidad y la misericordia.
- ► Entender que como niños son parte de la Iglesia.
- ► Descubrir maneras prácticas de ser Iglesia.

VOCABULARIO:

- ► Iglesia:

Comunidad de creyentes que deben encarnar la Palabra en un mundo desolado. (D. Miller, Vida, Trabajo y Vocación, p.336, Editorial JUCUM, Tyler, Texas).
Conjunto de fieles que siguen la religión establecida por Jesucristo. (Diccionario de la lengua española © 2005 Espasa-Calpe).

- ► Misericordia:

Tener compasión; ternura de corazón que dispone a la persona a pasar por alto una ofensa o tratar al ofensor mejor de lo que se merece. (Diccionario Webster, 1828).
Inclinación a la compasión hacia los sufrimientos o errores ajenos. (Diccionario de la lengua Española © 2005 Espasa-Calpe).

- ▶ Santidad:

El estado o cualidad de ser santo; integridad moral perfecta o pureza; libertad del pecado; santidad; inocencia. (Diccionario Webster, 1913).

IDEA PRINCIPAL:

- ▶ La Iglesia muestra al mundo la misericordia y la santidad de Dios en todo lo que hace.

ESCRITURA BÍBLICA:

- ▶ Mateo 16:18: «Y yo te digo que tú eres Pedro, y sobre esta piedra voy a construir mi iglesia; y ni siquiera el poder de la muerte podrá vencerla». (Versión DHH).

Contenido de la lección

ACTIVIDAD DE INICIO:

Usted necesita los siguientes materiales:

- Vestuario para interpretar tres personajes:
- Futbolista.
- Maestro.
- Empresario.

Este drama se desarrollará con tres personajes: Un maestro, un empresario y un futbolista. Cada uno estará ubicado en un lugar diferente del salón. Todos los jugadores estarán «congelados» al principio. Cuando entren los estudiantes y se sienten, una voz dirá «esto es la iglesia» y comenzará a actuar el primer actor:

Empresario: (Es una persona alegre) «¡Buenos días empleados! ¿Cómo fue su fin de semana? Bueno, aquí estamos de vuelta a nuestros trabajos. Trabajemos con alegría el día de hoy, y hagamos las cosas de la mejor manera que podamos. ¡Estaré en mi oficina por si me necesitan!». (Se retira a poca distancia, le suena el celular y lo contesta).

—Sí, buenos días. Ah sí, sí recuerdo. Las telas estarán listas para mañana en la tarde. No, siguen al mismo precio. Sí claro, podemos empacarlas todas juntas. Claro que sí… Que tenga buen día.

(El comerciante inicia esta oración:) Bueno Señor, ayúdame en el día de hoy a extender tu Reino aquí en mi negocio. (Le suena nuevamente el celular) Sí, buenos días. (Se paraliza).

Maestro: «Ya se acabó el tiempo, queridos estudiantes. Pueden entregar sus pruebas e ir al almuerzo. …Ahora voy a corregir estos exámenes, vamos a ver… ¡Ah!, que no se me olvide corregir los del otro grupo; quiero tenerlos todos listos para el viernes. Además, debo limpiar el salón para dejarlo lo más organizado posible. ¡Hoy cumple el maestro de matemáticas! Por poco se me olvida… Le obsequiaré un paquete de bolígrafos porque la semana pasada dijo que casi no tenía.

Tampoco me puedo olvidar de hablar esta semana con la estudiante que está bajando sus notas; tal vez le esté pasando algo en su casa y le puedo animar. (Se paraliza).

Futbolista: «¡GOOOL! ¡Sí! Ganamos el partido de hoy. Gracias Señor por darme fuerzas y permitirme jugar mi máximo. Lo hice para ti; Tú eres la razón por la que juego, por la que estoy en el equipo, por la que hago las cosas, ¡por quien vivo! ¡Ah! ¡Qué contento estoy! ¡Luis! ¡Luis! ¡Eh! Acuérdate…nos vemos hoy en la noche en mi casa. ¡Cuídate hermano!».

(Se vuelve a escuchar un coro: «esto es la iglesia». Luego se reúnen los tres en el centro del salón y comenzarán a conversar.)

Maestro: «¡Qué bueno que nos volvemos a reunir; ya me hacía falta conversar con ustedes!

Futbolista: «Sí, a mí también.

Empresario: «A mí también. ¿Cómo te va en la escuela? (Se dirige al maestro).

Maestro: «Me va muy bien. Me encanta enseñar porque puedo ejercer buena influencia sobre mis estudiantes. Pero aun cuando los estudiantes no están, hago mi trabajo con excelencia: corrijo los exámenes, soy puntual, mantengo mis cosas organizadas y trato bien a mis estudiantes. También estoy atento a mis compañeros de trabajo y busco siempre bendecirlos de alguna manera. Me gusta esforzarme y hacer las cosas bien para poder ser de ejemplo a los demás. Dios se merece lo mejor de mí siempre. Y aún en las cosas pequeñas podemos extender Su Reino».

Empresario: «Así es, aún en los pequeños detalles. Yo estoy casi todo el día en mi trabajo recibiendo llamadas y vendiendo telas. Sé que Dios se interesa por todas las áreas de la sociedad, incluyendo mi negocio. Por eso, en lo grande y en lo pequeño me esfuerzo igual. Ya sea vendiendo las telas, o tan sólo diciéndole "buenos días" a mis empleados, quiero reflejar su amor siempre».

Maestro: «Así debemos ser todo el tiempo ¿Y a ti cómo te va? Te veo muy callado».

Futbolista: «Me va muy bien también, pero he estado un tanto reflexivo. Sobre todo, porque necesitaba preguntarles algo. Hace un tiempo atrás, al finalizar el partido, noté a uno de mis compañeros un poco triste. Al final del juego me le acerqué y le pregunté si todo estaba bien, y me contó los problemas por los que estaba pasando. Su mamá estaba muy enferma y no tenían dinero para cubrir los gastos de las medicinas. No contaba con la ayuda de su papá, porque no sabe nada de él desde que los abandonó hace ya dos años. Trato de ayudarlo y animarlo lo más que puedo. Nos estamos reuniendo todas las noches, y he estado enseñándole todo lo que he aprendido de Dios y su verdad. Pero quisiera saber cómo más puedo ayudarlo».

Empresario: «Se me ocurre una idea. Puedo darle trabajo en mi negocio. Así no sólo obtiene el dinero para los medicamentos de su mamá sino para las necesidades básicas de su casa, ya que su papá no está».

Futbolista: «¡Eso sería grandioso! De seguro que él lo apreciará».

Empresario: «El placer sería todo mío. Para eso tengo mi negocio; para hacer el bien y ayudar en lo que más pueda».

Maestro: «Bueno, ¿qué tal si empezamos con nuestra discusión de la lectura de esta semana?».

Futbolista: «La lectura contenía uno de mis pasajes favoritos; Mateo 28:19-20, donde el Señor Jesús nos envía a hacer discípulos y a enseñarles todo lo que Él nos ha mandado».

Maestro: «Y eso es precisamente lo que estás haciendo con tu compañero. Al estar con él, al

enseñarle la verdad que sabes, lo estás discipulando. Estás cumpliendo con lo que el Señor Jesús nos mandó: la gran comisión».

Empresario: «Bueno, vamos a adorar a Dios y luego comencemos con el estudio». (Se paralizan y luego salen).

DESARROLLO:

Usted necesitará:

* Rótulo de la palabra de vocabulario «IGLESIA» (lámina 14.2).
* Foto de un templo (lámina 14.4).
* Foto de niños agarrados de manos (lámina 14.5).
* Rótulo de la palabra de vocabulario «MISERICORDIA Y SANTIDAD» (lámina 14.3).
* Vinagre.
* Sal.
* Un vaso de cristal o de plástico transparente.
* Varias monedas sucias.
* Un recipiente con agua.
* Vestuario de baloncesto para seis personas (opcional, pueden hacer los números de los jugadores en papel y pegarlos en las camisas de las personas que van a participar en el drama).
* Una piñata o bolsa llena de dulces.

«¿Quiénes eran los personajes del drama? ¿A qué se dedicaban? ¿Por lo que vieron, esas personas amaban a Dios? ¿Qué crees que estaban haciendo al final del drama? ¿Crees que ellos reflejaban a Dios en sus trabajos?». (Haga las preguntas una a una y espere que los niños piensen y respondan). «Como observaron, en este drama los personajes eran cristianos y amaban a Dios. Eran parte de la Iglesia. Pero algo muy particular de ellos es que veían su trabajo como una oportunidad para hacer misiones, para llevar el Reino de Dios, en otras palabras, para cumplir Su voluntad».

«Hoy aprenderemos lo que es la Iglesia y cuál es tu función como parte de esta. Aunque algunos piensan que eres muy pequeño, Dios te ve como parte de la Iglesia y espera que también trabajes para traer su Reino en todo lugar al que vayas. Ahora, ¿qué es la Iglesia?». (Muestre rótulo de la palabra de vocabulario «IGLESIA» [ver Lámina 14.2] y péguelo en «el mural de las palabras»). «Para comenzar, veamos lo que no es la Iglesia. La iglesia no es esto». (Mostrar una foto o un dibujo de un templo [ver lámina 14.4]). La verdadera Iglesia es la gente; personas como tú y yo». (Mostrar una foto de tres niños agarrados de manos [ver lámina 14.5]).

«La Iglesia se reúne cuando dos o más personas se juntan para hacer la voluntad de Dios y mostrar su palabra al mundo. ¿Recuerdan el drama del Reino? A los que aman a Dios se les han dado una misión. ¿Recuerdan cuál era?». (Permitir que respondan). «La misión de la Iglesia es: conocerle a Él para darlea conocer en todo lo que hacemos. Al hacer Su voluntad mostramos Su Palabra al mundo». (Puede hacer referencia a las láminas de la historia de nuestro Reino y repasar la historia).

«La Iglesia, o sea, que cada uno de nosotros, debe reflejar misericordia y santidad. Dios es misericordioso y tiene compasión de nosotros. Él tiene ternura de corazón para tratarnos mejor de lo que merecemos: si nos arrepentimos, nos perdona, nos anima a no volver a hacer lo malo y nos da una oportunidad para hacer el bien y actuar con sabiduría. Lo hace, si entiende que es la decisión más amorosa que Él pueda tomar en ese momento; si es así, pasa por alto la ofensa o trata al que se arrepiente mejor de lo que se merece. Como dice el salmo 103:8-14: «Dios ha engrandecido su misericordia para con nosotros y no nos ha hecho conforme a nuestras rebeliones». Misericordia es la ternura de corazón para pasar por alto una ofensa o tratar al ofensor mejor de lo que se merece, siempre y cuando sea una decisión sabia».

«Dios es santo. Santidad es vivir en amor, completamente separado del pecado y del egoísmo. Es la suma de todos los atributos del amor de Dios. Cuando Dios es justo, misericordioso, verdadero, sabio, fiel y amoroso (puede hacer referencia al diamante del carácter de Dios estudiando en clase) es porque Él es santo. Dios espera que su Iglesia le muestre al mundo entero en todo lo que hacen, que Él es misericordioso y santo».

«Por ejemplo, si vemos que nuestros amigos están pecando, haciendo cosas malas (se están copiando en el examen, se robaron algo, están peleando, etc.), por misericordia debemos confrontarlos para que lo dejen de hacer, y así ayudarlos a que lleguen a la santidad. Porque Dios nos manda a ser santos como Él es santo».

«También, si conozco niños que no tienen qué comer, les muestro la misericordia y el carácter amoroso de Dios, compartiendo mi alimento con ellos. Hay muchas cosas que tú puedes hacer como iglesia para mostrar la misericordia y la santidad de Dios. ¿Puedes pensar en algunas otras cosas que puedes hacer en tu comunidad, tu escuela, donde puedas mostrar la misericordia y la santidad de Dios?». (Permita que los niños piensen y respondan. Ayúdeles a pensar en el servicio a un anciano, en los buenos consejos a un amigo, en limpiar la casa de alguien sin que se lo pidan o le paguen, en ayudar a embellecer una plaza, etc. Lo importante es que puedan pensar en cosas prácticas donde pueden reflejar el carácter de Dios, aunque son niños. De esta manera ellos podrán ver que tienen la capacidad de ser iglesia).

Niños: «Ustedes son la Iglesia y pueden hacer un sinnúmero de cosas dónde reflejen quién es Dios en su diario vivir. Dios los ha llamado a ustedes para ser los agentes de transformación de su comunidad. Un agente de transformación es una persona que trae cambios donde quiera que esté. ¿Estás siendo un agente de cambio? Si no lo has sido, hoy puede ser una oportunidad para pedirle a Dios que te enseñe a ser su Iglesia».

«Veamos qué significa traer cambio».

Actividad:

(De ser posible, tenga material suficiente para que cada grupo pequeño pueda realizar el experimento. De no ser posible, puede hacer el experimento desde el frente, mostrando los resultados a sus estudiantes. El experimento consiste en preparar una solución de vinagre y sal en un vaso de cristal o de plástico transparente para ver cómo cambia el aspecto de unas monedas que están sucias).

Instrucciones:

1. Vierta vinagre hasta la mitad de un vaso mediano de cristal o de plástico transparente.

2. Disuelva 1 cucharadita de sal hasta que se disuelva.

3. Coloque dentro del vaso unas cuantas monedas sucias. Déjelas por unos minutos.

4. Saque las monedas, límpielas con agua y déjelas secar en una servilleta. Observe cómo han cambiado de aspecto.

Maestro (concluye): «El vinagre y la sal son los agentes que transformaron el color de las monedas. Como parte de la Iglesia, estás llamado a ser cómo el vinagre y la sal. Estás llamado a transformar las vidas de los que te rodean haciendo discípulos, es decir, personas que amen a Jesús y vivan para Él».

«Como hemos aprendido, el Reino de Dios está donde quiera que se cumpla su voluntad. Nuestra meta no es solo ir al cielo sino traer su Reino aquí a la Tierra. Y la manera de traer el Reino de Dios a la Tierra es mostrando su carácter, su misericordia y santidad en todo lo que hacemos y en todo lugar donde estemos (en nuestras escuelas, en nuestras casas, en el parque, en el bus)».

«Sólo así la gente podrá ver su Reino a través de nosotros, su Iglesia cuando hacemos su voluntad y no la nuestra. ¿Cuándo se reúne la Iglesia?». (Permitir que los niños piensen y respondan). «Usualmente la Iglesia se reúne los domingos. Otras iglesias se reúnen dos y tres veces a la semana. La razón por la que nos reunimos como Iglesia es porque así lo ha encomendado Jesucristo. Nos reunimos para adorar a Dios y ser equipados para luego ir a las diferentes áreas de la sociedad para impactar y transformarla y traer el Reino de Dios a esta tierra».

Drama:

En este momento puede presentar unos 6 líderes que simulen un equipo de baloncesto y su entrenador. De no tener el uniforme puede pedirles que utilicen una camisa del mismo color y le coloquen el número de jugador en la parte de atrás con el nombre. Permita que ellos entren interrumpiendo su clase cómo si fueran a jugar de verdad. Una vez entren al salón desarrollarán el siguiente dialogo:

Maestro: «¡Wow! ¿Quiénes son ustedes?».

Entrenador: «Somos un equipo de baloncesto. Estamos listos para nuestro juego». (El equipo debe estar en movimiento como si estuvieran calentando su cuerpo para el juego).

Maestro: «¿Cómo se han preparado para el juego?».

(Los jugadores siempre deben hablar bien animados, con buena actitud y seguridad).

Jugador No. 1: Nos hemos estado reuniendo algunos días a la semana para entrenarnos y aprender las técnicas necesarias para tener un buen desempeño en la cancha».

Jugador No.2: «Hemos tenido que ser bien disciplinados porque para poder ganar debemos saber mucho y tenemos que conocer las reglas para poderlas cumplir en la cancha.».

Maestro: «Y una vez en el juego, ¿cómo hacen para saber si van bien o qué cosas deben mejorar?

Jugador No.3: «Para eso está el medio tiempo. En ese momento nos reunimos como equipo para evaluar nuestro desempeño en la cancha.

Jugador No.4: «En este tiempo el entrenador nos da las claves necesarias para continuar haciendo un buen juego».

Jugador No.5: «Además, este tiempo es muy necesario porque podemos descansar y reponer nuestras fuerzas para continuar el juego».

Maestro: «¡Muchas cosas buenas he aprendido con ustedes! Les deseo lo mejor. ¡Jueguen bien!». (El equipo sale del salón).

Maestro: «¿A cuántos de ustedes les gusta el baloncesto?». (Permitir que los niños comenten). «El baloncesto es un juego de equipo. Cada jugador tiene un propósito específico para poder hacer un buen juego. Uno es el que dirige el juego dentro de la cancha, otro es el que anota la mayoría de los puntos, otro es el que defiende el balón, etc.». (Si nota que tiene estudiantes que les gusta mucho este deporte puede preguntarles acerca de las diferentes posiciones).

«Podemos comparar la Iglesia con un juego de baloncesto. Esta es un equipo que está llamado a traer el Reino de Dios a la tierra. Pero nuestra misión es mostrar a Dios y enseñar a otros a seguir a Jesús. Un juego de baloncesto tiene un momento muy importante para los jugadores: el medio tiempo. Según el drama, ¿para qué sirve el medio tiempo?». (Permitir que los niños piensen y respondan).

«De la misma manera, la Iglesia tiene su medio tiempo el domingo para adorar a Dios y equiparnos para salir a la "cancha". ¿Cuál será nuestra cancha?». (Muestre el mural de las palabras: «En búsqueda de los sellos»). «Esta es nuestra cancha formada por todas las áreas o esferas de la comunidad. Somos iglesia no sólo los domingos; somos iglesia todos los días de la semana y tenemos un trabajo que hacer cómo iglesia cada día donde quiera que estemos».

«Por ejemplo, buscamos a nuestros amigos del barrio o la escuela y a todas las personas con las que nos relacionamos, y las discipulamos. Primero oramos con ellos, leemos la Biblia y les enseñamos toda la verdad que Dios nos ha dado a nosotros, para que ellos después hagan lo mismo».

«La Iglesia no comienza y termina los domingos. Sólo se prepara para esparcirse y hacer un trabajo de excelencia y busca la gente para enseñar todas las cosas acerca del Reino de Dios».

Actividad:

Tenga una piñata llena de dulces. Pida 10 voluntarios. Explíqueles que hay algo muy bueno para ellos en la piñata. Dígales que se esparzan por el salón, y que cuando usted diga «júntense», ellos tendrán que correr hacia la piñata y recoger lo que cae. Una vez recojan los dulces llévelos a pensar que hay más niños en el salón que no tienen dulces y ellos tienen bastantes. Pregúnteles, ¿qué pueden hacer? (Anímelos a esparcirse y compartir los dulces con los demás en el salón).

En la actividad que acabamos de hacer, estos 10 niños representaban la Iglesia que se reunió para recibir algo bueno. «¿Pero que hicieron ellos? ¿Se quedaron comiéndose los dulces entre sí? No. Ellos salieron para compartir con otros lo que habían recibido. Por esto decimos que la Iglesia no termina los domingos, pues lo que has recibido y aprendido lo debes llevar y compartirlo a donde quiera que vas el resto de la semana».

«La Iglesia está lista para cumplir la gran comisión». (Lea Mateo 28:19-20 y permita que los niños coloreen el versículo de amarillo y llenen la leyenda). «Nuestra misión no es sentarnos en los bancos de la Iglesia, sino salir y dar ejemplo para que otros nos sigan. Así los atraeremos a Dios para que se conviertan en sus seguidores y se añadan a la iglesia. La Biblia dice: "Cada día el Señor hacía que muchos creyeran en él y se salvaran. De ese modo el grupo de sus seguidores se iba haciendo cada vez más grande"». (Lea Hechos 2:46-47 y permita que los niños coloreen el versículo de amarillo y llenen sus leyendas).

CIERRE:

Aplicación/Resumen

«Como hemos aprendido, la iglesia es cuando dos o más personas se unen para hacer la voluntad de Dios. Son varias familias que se unen y salen a las diferentes áreas de la sociedad para mostrar la misericordia y santidad de Dios. (Repase las diferentes áreas o esferas de la sociedad que han aprendido y mencione cómo debemos buscar personas en esas áreas por

discipular. ¡Tú eres la Iglesia, ¿qué vas a hacer para traer su Reino a esta Tierra, a donde quieras que estés?».

Maestro: (aplica) «¿Hemos mostrado a nuestros amigos la misericordia de Dios? Cuando los vemos haciendo cosas malas, ¿les decimos que Dios los puede perdonar si se arrepienten? ¿Hacemos todo lo posible para que no pequen más y vivan en santidad? ¿Actúas cómo Iglesia de Dios y buscas amigos para discipularles, enseñándoles todo lo que sabes de Dios para que ellos también le sirvan a Él?».

(Dirija a los niños en una oración de arrepentimiento por no ser parte de la Iglesia. También para ver si Dios está llamado a alguno de los niños a hacer algo en la Iglesia).

HOJA DE REGISTRO:

Usted necesitará:

- Lápices de colores.
- Hoja de registro de iglesia (anexo 27.a).

Reparta la hoja de trabajo de Iglesia (vea anexo 27.a). (Los niños deberán dibujar o mencionar cómo serán parte de la Iglesia mostrando la misericordia y la santidad de Dios, y haciendo discípulos).